Sobre los autores

SHEILA GIBSON estudió medicina en la Universidad de Glasgow en 1962, después de obtener un título de Bachiller en Ciencias en la especialidad de bioquímica. Siempre ha tenido interés especial en la investigación, primero en toxicología y después en genética. Desde que se integró al equipo profesional del Hospital Homeopático de Glasgow, ha participado de manera activa en investigaciones sobre alergia, reumatología y esclerosis múltiple. Para la autora siempre ha sido importante el papel de la dieta y la nutrición en el desarrollo de enfermedades y la conservación de la salud, además de diversos aspectos de las disciplinas dedicadas a preservar la salud, sus campos de acción e interrelaciones.

ROBIN GIBSON recibió su educación en Edimburgo. Después de obtener el título de cirujano dentista en la Universidad de Edimburgo, estudió medicina en Glasgow, donde se graduó en 1960. Mientras estudiaba, entró en contacto con la homeopatía y, después de especializarse en pediatría, utilizó remedios homeopáticos para curar, con éxito, a un grupo de niños enfermos de difteria. Estudió homeopatía en Glasgow y Londres y, desde su nombramiento como médico especialista en el Hospital Homeopático de Glasgow, ha dirigido su interés en la investigación hacia los campos de nutrición, postura, alergia, reumatología y, en fecha más reciente, a la esclerosis múltiple, donde ha estudiado el potencial de diversas disciplinas y técnicas complementarias a la homeopatía. Sus pruebas con el reumatismo fueron las primeras experiencias clínicas homeopáticas publicadas en una revista de divulgación médica ortodoxa

HOMEOPATÍA PARA TODOS

La guía práctica que le permitirá
obtener óptimos resultados de esta medicina

Sheila y Robin Gibson

Homeopatía para todos

La guía práctica que le permitirá
obtener óptimos resultados de esta medicina

grijalbo

HOMEOPATÍA PARA TODOS
La guía práctica que le permitirá
obtener óptimos resultados de esta medicina

Título original en inglés: *Homeopathy for Everyone*

Traducción: José Ignacio Rodríguez M.
             de la edición de
             Penguin Books & Ltd.
             Inglaterra, 1988

© 1987, Sheila y Robin Gibson

D.R. © 1993 por EDITORIAL GRIJALBO, S.A. de C.V.
        Calz. San Bartolo Naucalpan núm. 282
        Argentina Poniente 11230
        Miguel Hidalgo, México, D.F.

ISBN 970-05-0462-X

IMPRESO EN MÉXICO

Queremos dedicar este libro
al futuro de la homeopatía

Hay un principio que es obstáculo para toda información, que es una prueba contra todos los argumentos e infalible para mantener al hombre en estado de perpetua ignorancia: ese principio es el de despreciar antes de investigar.

HERBERT SPENCER, 1820-1903

Índice

Agradecimientos

Queremos dar las gracias a todos nuestros colegas y pacientes por su ayuda y apoyo y, en particular, a los doctores Gordon Flint, Anton van Rhijn y Andreas Pfretschner, al señor Jim Crawford de Nelsons, al finado señor P.J. Thomas, quien fuera nuestro bibliotecario, a la señorita Margaret Cooper de la Sociedad Hahnemann, a la señora Nan Donaldson y la señorita Isobel Smith, nuestras sufridas vecinas.

1. La homeopatía en acción

Un joven de diecisiete años ingresó en la unidad de enfermedades infecciosas porque expectoraba sangre, sus encías sangraban y desde dos o tres años atrás no se sentía bien. Los médicos pensaron en tuberculosis, pero las placas de rayos X y las pruebas de sangre fueron negativas. A pesar de un estudio exhaustivo, no fue posible establecer un diagnóstico, mas en un reconocimiento rutinario se descubrió que el joven tenía aumento en el tamaño del bazo, el cual abarcaba la longitud de una mano extendida por debajo de las costillas; no se descubrió alguna otra alteración y fue dado de alta del hospital después de seis semanas.

Sin embargo, el paciente persistió con malestares y fue sometido a una minuciosa investigación en el departamento de hematología de un importante hospital de enseñanza; una vez más, la única anormalidad fue el crecimiento del bazo. Este trastorno no se consideraba especialmente peligroso, pues la cuenta de células sanguíneas se encontraba dentro de límites normales, y no había datos de una destrucción acelerada de glóbulos rojos. Una de las funciones del bazo es servir de depósito para las células sanguíneas, y extraer y destruir los glóbulos rojos dañados; por consiguiente, no se extirpó el bazo. Tampoco se administró tratamiento alguno, aunque se estableció una revisión rutinaria cada seis meses. El joven continuó con su trabajo de impresor, aunque nunca se sintió del todo bien; él mismo atribuía sus síntomas al bazo crecido, a pesar de que los médicos aseguraban que no era así. La opinión de los expertos en hematología fue que la sensación de debilidad se

17

debía a que el paciente sabía que tenía crecido el bazo y que era "cuestión mental". A los treinta y dos años, el enfermo acudió a la consulta externa de una clínica homeopática; a pesar de su enorme expediente clínico —continuaba con citas cada seis meses, para revisión—, no hubo cambio alguno en el tamaño del bazo o en su estado general a lo largo de quince años; asimismo, continuaban las hemorragias esporádicas en las encías. Se realizó un cuidadoso interrogatorio homeopático y se consideró que el remedio más adecuado era un arbusto de flores azules, *Ceanothus americanus*,[1] que Compton Burnett utilizó en el tratamiento de afecciones del bazo. El cuadro patológico o farmacológico del ceanothus —es decir, la totalidad de los síntomas— incluye el de un paciente de poco ánimo, temeroso de ser incapaz de desarrollar su trabajo; se describe una sensación de debilidad general que hace que el trabajo se vuelva difícil y una carga, dolor de cabeza del lado derecho, malestar en la región del bazo, ulceraciones en la boca, poco apetito y una constante sensación de frío. Asimismo se presenta una sensación de opresión en el pecho, palpitaciones y debilidad generalizada. Por consiguiente, el paciente que nos ocupa recibió una dosis de ceanothus.

Al revisarlo, dos semanas después, el bazo era apenas palpable; el propio paciente tenía mucha más energía y ya no sentía la necesidad de ingerir alcohol para aliviar su sensación de malestar. Después de dos semanas más, ya no era posible palpar el bazo y el paciente se sentía mejor que nunca. En un periodo de seis meses posterior a la primera visita a la clínica homeopática, el paciente había establecido su propia imprenta, la cual operó con éxito durante el periodo de seguimiento de cinco años.

A lo largo de este tiempo, fue revisado con regularidad. Se descubrió que cada dieciocho meses sufría de un cuadro parecido a la influenza y, al examinarlo, era posible palpar la punta del bazo; una dosis adicional de ceanothus le devolvía muy pronto la sensación de bienestar y el bazo recuperaba su tamaño. A la larga, el paciente compró una botella de este remedio para tomarlo cuando fuera necesario sin tener que acudir a la clínica.

Un paciente de treinta años tenía una importante inflamación de manos y pies, acompañada de dolor, rigidez e incapacidad para cerrar las manos por completo; había presentado estos síntomas durante varios meses y, en fecha reciente, un médico hizo el diagnóstico de artritis reumatoide. Invitamos al enfermo a participar en un grupo de prueba de homeopatía que estábamos organizando. Le explicamos que la prueba duraría seis meses y que durante los tres primeros podría recibir una terapia activa o un placebo (terapia inactiva), aunque durante los tres meses restantes le administraríamos el remedio activo. El objetivo de la prueba era valorar la eficacia de la homeopatía en el tratamiento de la artritis reumatoide, comparando con un placebo; el protocolo establecía que, durante los tres primeros meses, tanto médicos como enfermos desconocerían quién recibía la terapia activa. Con el fin de que todos los pacientes tuvieran la oportunidad de recibir dicha terapia, durante los últimos tres meses de la prueba todos los enfermos recibirían homeopatía, aunque tampoco se informaría a médicos ni a enfermos sobre los sujetos que tuvieron un cambio de terapia, hasta revelar las claves al final del periodo de seis meses.

Además del dolor, la rigidez y la inflamación, las características más sobresalientes de este enfermo eran su importante temor a las alturas, aversión por las grasas, tendencia a dormir sobre el vientre y a desmayarse en habitaciones cerradas; la carne de cerdo le enfermaba y no toleraba las bebidas calientes. Estas características sugerían que el remedio más adecuado sería la pulsatilla, o flor de anémona, misma que fue recetada y administrada una vez al mes. No hubo mejoría durante los tres primeros meses, pero a los dos días de su cuarto polvo —es decir, al iniciar el cuarto mes— hubo una respuesta sorprendente y la inflamación, el dolor y la rigidez desaparecieron por completo. Al revelar las claves, al final de la prueba, se descubrió que este enfermo recibió un placebo durante los primeros tres meses y que su notable mejoría ocurrió tan pronto como empezó a recibir el tratamiento activo, la pulsatilla.

Hemos seguido este caso durante ocho años; el enfermo ha requerido de alguna dosis ocasional de pulsatilla al presentar una leve recurrencia del dolor y la inflamación articular; su estado permanece constante y desde hace mucho que descontinuó el uso de medicamentos antiinflamatorios ortodoxos, los cuales consumía al iniciar la prueba doble ciego.

En estos casos, las manifestaciones son esencialmente físicas, mas los remedios homeopáticos tienen la misma eficacia en el tratamiento de problemas mentales-emocionales. Esto queda demostrado en el interesante caso de una mujer de sesenta y cuatro años, quien fue ingresada en el hospital homeopático con un grave ataque de neumonía lobular. Aunque mejoraba con lentitud en la sala de internamiento, era una paciente de trato difícil; las enfermeras consideraban que era imposible de controlar, pues se mostraba inquieta y nerviosa, y siempre trataba de escapar del hospital. Quería volver a casa y aseguraba al personal que allí había alguien que podría quedarse a cuidarla. No obstante, su hijo, médico, llamó por teléfono para decir que esa afirmación era falsa y comentó que su madre se volvía muy ansiosa en espacios cerrados, por lo que tenía que salir a dar largas caminatas, aun cuando se encontrara en su domicilio. La mujer se deprimió mucho al encontrarse limitada en sus movimientos.

Estos comentarios indicaron el remedio *Argentum nitricum*; los enfermos que toman este remedio suelen presentar angustia y aprensión, en especial en espacios cerrados. Se administró esta sustancia a la enferma y, en dos horas, era una persona distinta: tranquila, relajada y controlada dentro de la sala de internamiento. Las enfermeras y los médicos se mostraron asombrados con la transformación y, a partir de entonces, la paciente estuvo dispuesta a permanecer en el hospital hasta que se resolviera su proceso neumónico.

El poder de los remedios homeopáticos para influir en el humor y en las actitudes vuelve a quedar ejemplificado en el extraño caso que presentamos a continuación, que se refiere a una mujer de treinta y cuatro años de edad. Un cirujano cardiovascular dio una conferencia, durante un congreso médico, sobre el caso de un niño de cinco años —hijo único, cuyo padre trabajaba en Jamaica— que desarrolló una enfermedad semejante a la influenza; como no respondía al tratamiento administrado, lo trasladaron de nuevo a su país y fue internado en la mejor unidad de cuidados pediátricos. Se realizaron abundantes investigaciones que condujeron al diagnóstico de cardiomiopatía infecciosa (infección del músculo cardiaco); el principal hallazgo clínico fue crecimiento del corazón. Sin embargo, a pesar de recibir la terapia indicada, continuó su deterioro físico y el corazón siguió creciendo. El único estudio que no se realizó fue la cateterización cardiaca, pues se consideraba de alto riesgo en un corazón infectado; no obstante, al agravarse su estado sin obtener mejoría después de varios meses de tratamiento, se implementó este procedimiento a los ocho meses del ingreso del paciente en el hospital. Para asombro de los pediatras, se descubrió que el corazón del niño era normal en tamaño y que lo que parecía un crecimiento de cavidad era un gran tumor que desplazaba al corazón de su lugar y provocaba síntomas de insuficiencia cardiaca. En ese momento, el cirujano cardiovascular tomó el caso y tuvo que operar al niño, quien se encontraba en muy mal estado. La intervención fue un éxito, mas el pequeño, por desgracia, estaba tan debilitado que su periodo posoperatorio fue muy complicado y murió unas semanas después, a pesar de todo lo que se hizo para salvarlo.

La tragedia, en este caso, es que esa clase de tumor es operable; es una de las pocas neoplasias que, una vez extirpadas, no vuelven a presentarse y el niño habría tenido una expectativa de vida muy razonable. Como es de suponer, la madre estaba muy perturbada y sentía que jamás podría perdonar a los pediatras por ocasionar, en su opinión, la muerte de su hijo. El hecho de que fuera su único hijo y de que le hubieran dicho que jamás podría concebir otro, hacía aún más trágica la situación. Los progenitores y el cirujano establecieron una relación de amistad que, en cierta medida, aliviaba el sufrimiento de la madre, quien así conservaba un lazo con su hijo perdido.

Un año después de esta conferencia, una pareja acudió a la consulta externa homeopática; la mujer se encontraba en un profundo estado de angustia y casi incoherente por el sufrimiento. Eran los padres del niño cuyo caso presentó el cirujano; este último había muerto de manera repentina hacía unas semanas y los progenitores sentían que habían perdido su último lazo con el niño. La madre, en particular, pensaba que jamás podría perdonar a los pediatras porque no hicieron un diagnóstico oportuno de la enfermedad de su hijo, aunque el error, dentro del contexto de la historia clínica, era comprensible.

El remedio más adecuado para ese estado mental es staphisagria (remedio para el resentimiento reprimido o suprimido), y fue administrado a la madre. Asimismo, se le explicó que sus sentimientos eran muy comprensibles, pero que se había encerrado en una bomba de tiempo que a nadie beneficiaría, y mucho menos a ella. No se trató de dar psicoterapia.

Al revisarla, dos semanas después, era una persona distinta; su actitud era mucho más positiva y decidió tomar un empleo de bibliotecaria, cuando antes se limitó a permanecer abatida en su casa. Varias semanas después, logró perdonar a los pediatras y se liberó por completo de la situación negativa en que se encontraba atrapada. En la actualidad lleva una vida feliz y normal, y espera, tal vez con excesivo optimismo, tener otro hijo.

La asombrosa capacidad de la staphisagria para influir en los niveles más profundos de la mente, queda confirmada en el caso de una mujer que acudió a la clínica homeopática a los cuarenta y tres años. Diecisiete años antes, cuando amamantaba a su tercer hijo, descubrió que el marido, quien jamás le había sido infiel, tenía relaciones con otra mujer. Como es de suponer, se sintió muy herida y resentida; ella estaba encerrada en casa con otro bebé, mientras él se enredaba con otra mujer. El marido pronto abandonó a su nueva amiga, compró flores a la esposa y se convirtió en el esposo modelo; no obstante, aunque ella deseaba perdonarlo, se dio cuenta de que era imposible. Y su cuerpo tampoco lo perdonaba; su sistema endocrino (hormonal) estaba tan alterado que la paciente presentaba hemorragias menstruales persistentes, lo que provocaba muchos inconvenientes y puso fin a su relación matrimonial.

Los estudios de numerosos ginecólogos revelaron que no había una causa patente para la alteración, y ningún tratamiento dio resultado. Esto persistió durante diecisiete años, hasta que la mujer acudió a la clínica homeopática. Para entonces, se encontraba desesperada. En vista de los antecedentes, se indicó la staphisagria. Tres semanas después, la paciente informó con alegría que había tenido un periodo normal por primera vez desde el nacimiento de su último hijo; recibió una segunda dosis de staphisagria, dos semanas más tarde, y al revisarla después de dos meses, se sentía muy bien, mejor que en mucho tiempo. También comentó que al fin había logrado perdonar a su marido.

Los sobresaltos también pueden tener un efecto profundo y perdurable en la salud y el bienestar. Una mujer de treinta años, competente y bien organizada, sufrió esta experiencia. Cierta noche fue necesario llevar a su marido a un hospital, debido a la repentina hemorragia de una úlcera duodenal, y fue necesario administrarle diez litros de sangre. Fue una situación muy angustiosa para la mujer; se sintió asustada y temerosa ante la posible muerte del marido. Después de una operación de urgencia, el esposo se recuperó bien y la vida, aparentemente, volvió a la normalidad.

Empero, unos meses después, la mujer comenzó a manifestar ansiedad y temor; desarrolló agorafobia, lo que le impidió salir de casa sin compañía, así como episodios de taquicardia (corazón acelerado), ataques de pánico y brotes de intensa angustia y miedo. No respondió a los medicamentos convencionales ni a la psicoterapia.

Dos años después, acudió a la clínica homeopática en compañía de su esposo. Debido al antecedente del intenso sobresalto, había alternativas de terapia: opio o acónito. Se indicó opio, pero tres semanas después, no mostraba mejoría. Entonces se recetó acónito y, en un día, la mujer se sintió mucho mejor y perdió todos sus temores y angustias de antes. Volvió a la normalidad en poco tiempo y, después de un seguimiento de tres años a la fecha, ha permanecido muy bien y no ha requerido de nuevo tratamiento.

Un niño de cuatro años estaba de vacaciones con sus padres en un parque de casas rodantes en la costa, cuando resbaló y cayó en un pozo de drenaje; aunque lo rescataron de inmediato y no sufrió daños físicos, la horrible experiencia tuvo un efecto profundo en el pequeño. Se volvió retraído, no jugaba ni hablaba con otros y no quería comer. Lo único que hacía era permanecer sentado en un rincón oscuro, en aparente estado de choque. Lo llevaron a la clínica una semana después del accidente —encontramos a un niño patético, indiferente y retraído que no respondía a los tratamientos administrados hasta el momento. Se indicó una dosis de opio y, al día siguiente, se mostró sonriente y comunicativo, y recuperó el apetito.

Es posible obtener respuestas asombrosas al tratamiento homeopático no sólo en los casos de problemas mentales o emocionales, sino cuando hay una lesión de tejidos evidente. Esto se observa en el caso de un joven

24

que, en 1971, desarrolló debilidad en los músculos de la cara y dificultades para enfocar los ojos. En 1972, un especialista en neurología diagnosticó miastenia grave, una alteración del sistema que transmite los impulsos de los nervios a los músculos. En esa época, el tratamiento para pacientes con miastenia, que continuaban en deterioro, era extirpar el timo, uno de los principales centros de producción de anticuerpos en el organismo, pues se había descubierto que con la extracción del timo se producía una mejoría en ciertos casos tratados. Por consiguiente, se extrajo el timo del enfermo en junio de 1972, sin mejoría ostensible, mas después de la intervención quirúrgica sufrió de una grave debilidad durante tres meses.

Cuando lo recibimos en la clínica homeopática en marzo de 1974, aún se encontraba muy débil y tomaba un tratamiento ortodoxo para la miastenia grave: seis pastillas de neostigmina al día, así como un poco de atropina, que actúa como antídoto de ciertos efectos secundarios de la neostigmina. No se sentía nada bien y quería una alternativa terapéutica a los medicamentos que le ocasionaban diarrea, misma que podía controlar con la ingestión de otros fármacos.

Se realizó una historia clínica que reveló que, en su infancia, había padecido de sonambulismo; tenía sudación exagerada en pies, manos, brazos y cabeza, y era de tal intensidad que, en ocasiones, era necesario cambiar calcetines y camisa dos veces al día y, a veces, también la chaqueta, una vez al día. Se encontraba mejor cuando el clima era cálido, y peor cuando hacía frío, y experimentaba dolores en tiempo de lluvia. Prefería alimentos y bebidas fríos a los calientes, dormía mal y con frecuencia permanecía despierto, pensando en el trabajo. Esta combinación de síntomas, en particular el sonambulismo y la sudación exagerada, indicaban hacia el remedio de sílice, que tiene el cuadro general de un paciente pálido y débil, con abundante sudación de manos y pies; falta de fuerza y confianza, temor al fracaso y, a menudo, antecedentes de sonambulismo. Esta clase de enfermos suelen preferir alimentos y bebidas fríos, pues los alimentos calientes los hacen sudar. A veces la leche les produce malestar. Con frecuencia duermen con dificultad y permanecen despiertos, preocupados y pensativos. Se administró una dosis de sílice.

Un mes después, al volver a revisarlo, había reducido los medicamentos ortodoxos a cinco pastillas diarias de neostigmina y tuvo una pérdida de casi tres kilos de peso —sin duda debida al aumento de actividad física. La sudación de los pies había disminuido y a esas alturas, si quería, podía pasarse dos días sin cambiar de calcetines. Dormía mejor y estaba más seguro de sí.

No se administró tratamiento adicional en esta etapa y en una nueva visita, seis semanas después, se encontraba mucho mejor. Tomaba sólo dos tabletas diarias de neostigmina, había eliminado las pastillas de atropina y no presentaba diarrea. Se repitió la dosis de sílice. Transcurridos dos meses, se encontraba aún mejor que en la visita anterior y el restablecimiento persistió durante un mes más. Sin embargo, todavía necesitaba ingerir dos tabletas de neostigmina al día. En ese momento, se aumentó la potencia del sílice y, dos meses después, informó que había suspendido la neostigmina durante cinco semanas, sin sudación en los pies. Volvimos a aumentar la dosis de sílice y, tres meses y medio después, el paciente indicó que sólo había ingerido seis tabletas de neostigmina desde la última visita. Este caso ha sido observado durante los últimos diez años; en la actualidad, el paciente tiene un empleo de mucha responsabilidad y un *handicap* de tres en golf. A la fecha ha requerido de sólo dos dosis adicionales de sílice, sin medicación adicional.

Aunque se han observado remisiones espontáneas en la miastenia grave, a menudo su duración es corta y suelen ocurrir en las primeras etapas de la enfermedad; en el caso de este paciente, la notable mejoría de los síntomas —por ejemplo, el patrón de sudación y sueño, así como la debilidad— sugieren que la remisión se debe al remedio administrado. Si la remisión hubiese sido espontánea la sudación, el patrón de sueño y la imagen que tenía de sí mismo no habrían mejorado a la par.

La homeopatía también tiene gran éxito en el tratamiento de las alergias. En este caso, el remedio se prepara a partir de la sustancia a la que el paciente es sensible o alérgico. Estos remedios no son de uso clásico en la homeopatía, y por ello reciben el nombre de isopatía. La isopatía es la utilización de un antígeno (el agente sensibilizador en la alergia) en una forma homeopáticamente potenciada para tratar casos de alergia o hipersensibilidad a esa sustancia específica. Hoy disponemos de varios remedios normalizados para la alergia en la *materia medica* (lista de remedios); los más utilizados son el polvo doméstico 200 para el tratamiento de alergia a los ácaros que habitan en el polvo doméstico, y los remedios para la fiebre de heno que incluyen pólenes mixtos de hierba, ambrosía, fleo y barrón. También hay remedios preparados a partir de pelo de gatos y perros, caspa de caballo y diversas variedades de moho.

Hoy, en Inglaterra, la forma de alergia más común es la alergia a los ácaros que habitan en el polvo doméstico; aunque el cuadro clásico es el niño con asma y eczema, es muy frecuente que la manifestación inicial sea una erupción cutánea (rash) durante los primeros meses de vida y después la aparición de tos e irritación recurrente de la garganta, síntomas que se vuelven más intensos al cambiar al bebé de la cuna a la cama. Esto se debe a que la cuna suele tener un colchón recubierto de plástico, a diferencia de la cama. Los ácaros que habitan en el polvo doméstico viven en los colchones y se alimentan de las escamas de piel destruidas por hongos y moho; cualquier colchón recién tapizado se considera muy infestado de estos ácaros en un plazo de tres meses. Otros síntomas de alergia a estos parásitos incluyen aumento de tamaño de amígdalas y adenoides, dolor abdominal recurrente

—con o sin vómito—, cansancio general, irritabilidad, dolores musculares, rinitis persistente (constante constipación o escurrimiento de la nariz), catarro y ulceraciones en la boca.

Los siguientes casos demuestran la eficacia del preparado homeopático de polvo doméstico y la amplia variedad de síntomas que puede aliviar:

El primero es el de una niña de cuatro años que ha padecido de asma grave desde hace dos, y recibido tratamiento con diversas sustancias inhaladas, con poco éxito. Al verla en la consulta externa de la clínica homeopática, las pruebas cutáneas demostraron que tenía una intensa respuesta alérgica a los ácaros del polvo doméstico. Se indicó a la madre que comprara un colchón de hule espuma, con cubierta de plástico, una almohada lavable de terileno y sábanas que pudiera lavar con frecuencia. La base de la cama debía ser de resortes o tablas. Era necesario lavar toda la ropa de cama cada dos o tres meses para evitar la acumulación de estos ácaros. El colchón de hule espuma forrado de plástico impide la penetración de ácaros en la cama. Asimismo, la niña recibió una dosis de preparado homeopático de polvo doméstico. Después de aplicar este tratamiento a la niña y su cama, el asma desapareció y pudo interrumpir el uso de los medicamentos restantes. Se hizo un seguimiento de cinco años y todo se encontró bien, aunque fue necesario administrar una dosis de polvo doméstico dos o tres veces al año.

Otro caso es el de una joven que cantaba en un centro nocturno, quien asistió a la clínica con pérdida de la voz, cosa que le impidió cantar durante dos años. Se descubrió que tenía un ligero broncoespasmo (silbido) y la prueba cutánea demostró que era muy sensible a los ácaros del polvo doméstico. Se le indicó la forma como debía limpiar su cama y recibió una dosis de preparado homeopático de polvo doméstico. Después de esto, recuperó la voz en poco tiempo y pudo continuar cantando en el centro nocturno; sin embargo, después de un mes de haber vuelto al trabajo, los síntomas reaparecieron poco a poco. El interrogatorio reveló que no tenía problemas con el lecho, el cual suele ser la principal fuente de contacto con los ácaros que nos ocupan. No obstante, como hace la mayoría de la gente, esta joven colgaba su ropa –incluyendo el vestuario que utilizaba en su trabajo– en el dormitorio. Por ello se le indicó que cambiara su traje de centro nocturno cada vez que saliera de trabajar y lo colgara en el recibidor. Cuando así lo hizo, no tuvo nuevos síntomas. La conclusión fue que, en el ambiente cerrado y concurrido de un centro nocturno, la ropa de la joven recogía muchos ácaros de polvo doméstico y esto la afectaba.

Una pequeña de siete años presentó cuadros de vómito recurrente, a menudo el lunes por la mañana, y esto provocó su ausentismo frecuente en la escuela. Cuando ingresó en el hospital para niños, el vómito había disminuido y se pensó que su origen era psicológico y que la madre era sobreprotectora. Había antecedentes familiares de alergia y la prueba cutánea demostró que la niña tenía una fuerte sensibilidad al polvo doméstico. Cuando se dieron las indicaciones habituales para la cama y una dosis de preparado homeopático de polvo doméstico, el problema desapareció por completo. La niña se sentía mucho mejor y ya no faltó a la escuela. La madre, por su parte, experimentó gran alivio, pues no se consideraba sobreprotectora y se alegró de que existiera una causa física para el problema de su hija.

Se observó también que varios niños que presentaban tos nocturna y ataques recurrentes de fiebre inexplicable eran alérgicos a los ácaros del polvo doméstico; al tratar esta causa no se repitieron las crisis de fiebre, la tos desapareció y hubo una notable mejoría del estado general. Además, también se encontró que varios niños que, en apariencia, tenían asma provocada por tensión emocional, una vez que recibían tratamiento para la causa desencadenante –alergia a los ácaros del polvo doméstico– no volvían a tener una crisis asmática, aun en condiciones de tensión. Unos cuantos casos de desmayo inexplicable con el ejercicio repentino también tuvieron relación con la alergia al polvo doméstico, y mejoraron con el tratamiento mencionado.

Hay otras formas en que se presenta la alergia a los ácaros del polvo doméstico, entre ellas fatiga general inexplicable y sin otros síntomas, prurito (comezón) persistente en los párpados, especialmente entre ancianos. Hemos tenido algunos casos de dolor cólico abdominal intermitente, intenso e inexplicable, en adultos, con una duración de dos a tres días y presentación de más o menos cada seis semanas, que también fueron manifestaciones de alergia a los ácaros del polvo doméstico y mejoraron con el tratamiento.

Un caso extremo de alergia ocurrió con un hombre de más de treinta años quien acudió a la consulta externa de la clínica con el antecedente de nueve años de una enfermedad cíclica recurrente que se iniciaba con una erupción herpética (fuego) en los labios, seguida por la aparición de úlceras en la boca y luego una erupción cutánea en el dorso de las manos, la cual se volvía dolorosa a lo largo de un periodo de cuatro semanas. Estos problemas iban acompañados de una sensación de letargo y fatiga. Después de algún tiempo, los síntomas cedían en su intensidad, para repetirse dos semanas después. Este ciclo ocurría más o menos cada seis semanas.

Durante el interrogatorio se descubrió que había tenido un ligero broncoespasmo a los dieciocho años, y la prueba cutánea reveló que era muy sensible al ácaro del polvo doméstico. Se le indicó que debía dar tratamiento a su cama (en aquel momento, se indicó una sencilla cubierta de polietileno para el colchón) y con la administración del preparado homeopático de polvo doméstico, su estado mejoró en poco tiempo.

Un año después, el paciente decidió cambiar la cubierta plástica de su cama y, al día siguiente, ingresó en el hospital con una terrible erupción en cara, manos y brazos —áreas que estuvieron expuestas a los ácaros— y una temperatura de 40 °C. Su estado general era muy malo e ingresó en el hospital con el diagnóstico de encefalitis (inflamación del cerebro), mas la punción lumbar no ofrecía huellas de infección y fue dado de alta. Llegó a nuestro servicio, donde respondió de inmediato al preparado homeopático de polvo doméstico, aunque la erupción de manos y cara tardó seis semanas en desaparecer. Se le indicó que comprara un colchón nuevo y que lo cubriera por completo, antes de usarlo, con una funda de polivinil de buena calidad para que nunca volviera a correr el riesgo de un contacto parecido. Desde entonces, ha permanecido sano.

Si no hay un remedio para una alergia específica en la *materia medica*, es posible formularlo si se conoce el alergeno. Un técnico de laboratorio, de diecinueve años, desarrolló una alergia al cloroformo, la cual ocasionaba una grave descamación de las manos; esto resultaba muy molesto, pues su trabajo le obligaba a realizar cálculos de las concentraciones de plomo que, en aquellos días, exigían poner el plomo en contacto con una sustancia llamada ditizona en una solución de cloroformo; por consiguiente, tenía que utilizar grandes cantidades de cloroformo durante el día de trabajo. Fue enviado a la clínica homeopática con una muestra del cloroformo y se preparó y administró una potencia de esta sustancia; las manos quedaron limpias en un par de días y, aunque el paciente siguió trabajando con cloroformo con regularidad, no volvió a tener problemas.

Un paciente de treinta y cuatro años ingresó en el hospital con falta inexplicable de aire, la cual le había agobiado desde hacía dos años; el síntoma comenzó a mejorar mientras permaneció en la unidad y no se encontró la causa. Sin embargo, tan pronto como regresó a casa, la falta de aire volvió a aparecer y el hombre tuvo que caminar con gran lentitud, como un viejo. Con el interrogatorio se determinó que había una fábrica de productos químicos cerca de su hogar, la cual emitía grandes cantidades de vapor de formaldehído. Se le dio el remedio adecuado —una potencia de formalina que mejoró mucho su estado. Llevó consigo varios polvos que debía ingerir en caso de recurrir los síntomas.

Un caso parecido ocurrió en una joven que fue sometida a un transplante de córnea. Antes de la operación podía tomar un poco de vino sin sufrir efectos indeseables, pero después de la intervención descubrió que, si ingería vino, experimentaba intenso prurito en el área del transplante —al grado de que se vio obligada a renunciar por completo al vino. Se hizo un preparado homeopático de vino y, a partir de su administración, la paciente no volvió a tener problemas.

Los efectos de la homeopatía no se limitan al ser humano; los animales también responden y, en ocasiones, lo hacen de manera asombrosa.

En cierta ocasión tuvimos un conejo que sufrió una inflamación y escurrimiento en el ojo izquierdo; al mismo tiempo se volvió muy tranquilo, sumiso y letárgico, muy distinto del animal juguetón que conocíamos. Nos pareció que lo indicado era un tratamiento con sílice, pero la administración de diversas potencias no tuvo resultado. Poco tiempo después nos visitó un colega que también opinó que el sílice era el tratamiento de elección; cuando le informamos lo que había ocurrido, sugirió que administrásemos una potencia muy elevada o fuerte. Así lo hicimos y, a la mañana siguiente, encontramos a un conejo muy vivaz y atento, cuyo ojo izquierdo había mejorado mucho. Mas éstos no son los únicos resultados. El sílice es un remedio que a menudo se utiliza en los gatos y, de pronto, nuestro conejo desarrolló cierta predilección por el tocino, las carnes frías, el pescado y el queso —gustos muy poco comunes en esta especie. Por supuesto, conservaba su predilección por los alimentos típicos de los conejos, pero también gustaba de comer alimentos para gatos y conservó estos gustos y preferencias durante el resto de sus días.

Un auto arrolló al perro de un colega —fue un accidente

que ocasionó un sobresalto importante al animal, pero ninguna fractura, aunque sí varias contusiones. El animal recibió los remedios adecuados de manos de su amo, mas a pesar de ello el perro no dejaba de arrastrar las patas traseras. Esto continuó durante algunos meses, sin mejoría. Volvimos a estudiar el caso y, al llegar a la conclusión de que el perro debió experimentar un intenso sobresalto al momento del accidente, se sugirió la administración de opio. Este remedio resolvió el problema y el perro volvió a su conducta normal en poco tiempo.

Los casos descritos en el presente capítulo son sólo algunos de los muchos que podríamos citar para ejemplificar la amplia variedad de problemas que pueden resolverse con éxito utilizando la homeopatía. Los resultados de dichos tratamientos pueden ser de gran alcance y, a veces, sorprendentes, pero esto no significa que la homeopatía esté indicada para todos los pacientes o para cualquier clase de enfermedad. Tiene especial valor en lesiones y accidentes, tanto para el daño físico sufrido como para el sobresalto o el choque emocional concomitante; en infecciones agudas como resfriados, faringitis, fiebre elevada, influenza y enfermedades infecciosas agudas como sarampión, tos ferina o varicela; en alergias y toda clase de respuestas de hipersensibilidad, ya sea a agentes naturales como los ácaros del polvo doméstico, los pólenes de hierba, el yodo y el níquel, como a sustancias sintéticas y químicas como formalina o cloroformo y en alteraciones emocionales, aflicciones extensas y otros estados de duelo, resentimientos, irregularidades menstruales y problemas sexuales. En las condiciones antes mencionadas, el efecto del tratamiento homeopático suele ser rápido y, a menudo, evita la necesidad de utilizar antibióticos u otros medicamentos convencionales, aunque si fuera necesario es posible administrar la homeopatía en combinación con otros tratamientos ortodoxos, pues funcionan de manera distinta y la homeopatía fortalece y acelera la respuesta de recuperación del organismo.

No obstante, la homeopatía tiene la misma eficacia en padecimientos crónicos de corazón, pulmones, estómago, intestinos, vejiga y otros problemas genitourinarios, artritis y reumatismo de diversas clases, afecciones de la piel como eczema, psoriasis y dermatitis, migrañas y otros dolores de cabeza crónicos, algunos trastornos neurológicos, enfermedades psicosomáticas y estados de angustia. Algunas formas de cáncer también responden al tratamiento homeopático, en particular si el terapeuta logra elegir el remedio correcto. Insistimos en que la terapia homeopática y convencional pueden utilizarse al mismo tiempo, en caso necesario.

El éxito de la homeopatía en el tratamiento de problemas emocionales y psicológicos podría ser la causa de que a menudo se considere como una simple terapia placebo o alguna variedad de psicoterapia o sugestión mental. Empero, como veremos en el capítulo 4, los aspectos físico y psicológico o emocional-mental de un individuo tienen una íntima relación, y los factores que afectan a uno siempre afectan al otro. Por ello, es poco factible dar tratamiento a un aspecto del individuo sin que esto tenga un efecto, aunque sea pequeño, en los demás. El hecho de que podamos sentirnos mal, emocionalmente, al experimentar dolor físico, y en cambio reanimarnos cuando el dolor desaparece de pronto, ejemplifica el funcionamiento de esta interdependencia, aun en los niveles más superficiales.

La homeopatía siempre ha reconocido la relación entre los aspectos físico y psicológico de la enfermedad, y todos los remedios de acción profunda tienen síntomas físicos, emocionales y mentales en su cuadro farmacológico o patológico. En otros capítulos analizaremos cuáles son y cómo se derivan estos síntomas.

Así pues, la capacidad de la homeopatía para mejorar el estado psicológico del paciente no significa que el tratamiento, en sí mismo, sea sólo un placebo o "cuestión mental"; esto sería como decir que sólo cuando un paciente se encuentra abierto a la sugestión, o tiene fe en el tratamiento, podrá obtener resultados. Sin embargo, los animales, los bebés y los niños pequeños, quienes no saben qué tratamiento han recibido, responden tan bien como los adultos en quienes podría ser válida la sugestión de un efecto placebo —de hecho, muchas veces responden mejor que los adultos.

Por consiguiente, es poco probable que el efecto placebo sea responsable de la mejoría obtenida con el uso de la homeopatía. Esto nos deja ante la indiscutible evidencia de que la homeopatía sí funciona, que los resultados obtenidos con ella son válidos y reales. En los capítulos siguientes analizaremos algunas de las teorías que hablan de la forma como los remedios ejercen sus efectos y presentaremos más pruebas que confirman estos postulados.

2. Una visita al médico homeópata

En todas partes impera la idea de que la homeopatía sólo tiene eficacia debido a que el médico pasa mucho tiempo hablando con el paciente, y se piensa que ésta es la principal terapia de la especialidad. Algunos pacientes pueden mostrarse aprensivos al consultar a un homeópata, pues no saben qué esperar; tal vez han oído decir que esa clase de médicos hace preguntas muy extrañas y sin importancia para el problema que los aqueja.

No obstante, hay un buen motivo para que el homeópata pase más tiempo con sus pacientes que el promedio de los médicos ortodoxos. Es necesario que el paciente dé toda la información sobre los síntomas y signos que tiene, para establecer una buena correlación entre su padecimiento y el remedio indicado. Por así decirlo, es necesario crear un cuadro de la identidad y la enfermedad del paciente que tenga las características de uno de los múltiples remedios disponibles en la homeopatía. La entrevista se inicia más o menos en el mismo tenor de una visita al médico convencional, con una pregunta sobre el problema del enfermo, el tiempo de duración del padecimiento, si éste se ha presentado con anterioridad y los antecedentes familiares del paciente.

Sin embargo, el homeópata tiene que ampliar la información que obtiene, pues el tratamiento está dirigido al paciente en todos sus aspectos, no sólo al padecimiento actual. Por ello, el médico homeópata preguntará sobre la forma como se inició la enfermedad y, en particular, sobre las causas que pudieron haberla precipitado, tales como una lesión, el frío, una infección, desconsuelo, temor, ansiedad o un resentimiento profundo y persis-

37

tente. Esto es importante porque el remedio apropiado para la causa que inició el cuadro en ese momento tal vez deba utilizarse durante algún tiempo, debido a que el acontecimiento inicial puede seguir presente y perpetuar el desequilibrio de energía. También es importante obtener una historia familiar completa en este sentido, debido a que puede sugerir la necesidad de utilizar una clase específica de remedio homeopático —nosodas— para contrarrestar la tendencia hereditaria.

En la historia del padecimiento actual hay que obtener una descripción exacta de los síntomas, y es en este momento cuando pueden surgir muchas preguntas extrañas y detallistas. El médico homeópata tiene interés en tres clases de síntomas denominados, en la jerga homeopática, síntomas particulares, síntomas generales y síntomas extraños, raros y peculiares.

Los particulares son los síntomas locales pertinentes al problema inmediato del paciente, y a menudo son los primeros que el enfermo comunica a su médico. Suelen ser malestares que el paciente refiere como míos o propios —los síntomas "mi": "mi dolor", "mi ardor de estómago", "la rara sensación de mi pie", etcétera. Es necesario caracterizar estos síntomas con toda la exactitud posible, para realizar una buena correlación con el remedio. Por ejemplo, no basta que el paciente diga que tiene dolor de cabeza; hay que determinar el lugar del dolor —lado derecho o izquierdo, adelante o atrás, localizado o generalizado, y si se irradia hacia alguna otra parte— y la naturaleza del dolor —por ejemplo, intenso o leve, penetrante, repentino, punzante, contundente, palpitante, opresivo, cortante, persistente o quemante—. En la elección del remedio, también es importante identificar las modalidades del síntoma, es decir, cualquier circunstancia que mejore o empeore el malestar, como calor, frío, movimiento, reposo, diferentes clases de clima, distintas horas del día o, incluso, épocas del año.

No obstante, lo más importante para el homeópata

son los síntomas generales de la enfermedad, o síntomas "yo" –los malestares que el paciente explica como: "me siento" o "estoy" agitado, ansioso, agotado o cualquier otra cosa. Estos síntomas se originan en un nivel más profundo que los anteriores, los cuales se localizan en la región afectada. Los síntomas generales son una experiencia sensorial que abarca la totalidad del paciente y sugieren la manera como el enfermo responde a la enfermedad y al ambiente, y también la forma como el cuerpo ha movilizado sus defensas para recuperar la armonía y la salud. Estos síntomas son característicos de todos los pacientes, sin importar que tengan sangre fría o caliente, el modo como les afecta el clima o la temperatura, si sudan con exageración, si sufren cambios de estado emocional, mental o en los patrones de sueño, cuáles son sus preferencias de postura al dormir, clase de sueños, deseos y aversiones o trastornos provocados por ciertos alimentos, y otros muchos aspectos. Si se trata de una mujer, también es importante establecer si la condición empeora o mejora con el ciclo menstrual, o si tiene alteraciones de estado de ánimo en etapas específicas del ciclo menstrual.

Las características emocionales y mentales básicas del paciente son importantes para establecer el remedio adecuado. El médico pretende saber si el paciente suele estar relajado o nervioso y tenso, si es introvertido o extrovertido, tímido o sociable, agresivo, lloroso, impaciente, irritable, impulsivo, ansioso, celoso, receloso, sensible, compasivo, si acepta o rechaza la compasión de los demás, si prefiere o evita la compañía de otros, si se guarda los problemas o los comparte, o si tiene algún temor insuperable como a las alturas, los truenos, las multitudes, los desconocidos, los espacios abiertos o cerrados, la oscuridad, la soledad o la muerte. Todo esto contribuye a crear la imagen general del paciente y, con mucha frecuencia, sirve para identificar el remedio.

El análisis detallado de los problemas del paciente también permite que éste se sienta más tranquilo, pues percibe el interés sincero del médico en su problema, en vez de tratarlo de una manera indiferente o superficial. Este trato puede impulsar al enfermo a mencionar problemas de naturaleza más íntima como las dificultades sexuales o matrimoniales que de otra manera podría omitir en el interrogatorio, pero que pueden ser importantes en la valoración general y el tratamiento de su enfermedad.

La tercera clase de síntomas que interesan al homeópata reciben el nombre de extraños, raros o peculiares —son síntomas *no* característicos de la enfermedad. Por ejemplo, un paciente que enfermó por una exposición al frío, pero prefiere permanecer descubierto e, incluso, abanicarse; o por el contrario, un individuo con fiebre que quiere permanecer arropado bajo varias mantas en la cama; un dolor quemante que cede con el calor; o un paciente con fiebre muy elevada y quien *no* tiene sed. Otros ejemplos de síntomas extraños, raros y peculiares son sudación sólo en regiones descubiertas del cuerpo, sensación de que las extremidades son muy frágiles o hechas de cristal, sensación de ser dos personas en una misma y en constante conflicto o la sensación de que hay un ser vivo que salta dentro del vientre.

Al finalizar la consulta, el homeópata ha acumulado abundante información sobre el enfermo, y es evidente que la entrevista requiere de más tiempo del que suele invertirse en la consulta de un médico general. En este tiempo, los pacientes tienen la oportunidad de hablar de sus problemas y cómo les afectan, así como de otros aspectos de su personalidad y vida íntima que no tratarían en condiciones normales. Si es necesario realizar un examen físico, será muy similar al que haría cualquier médico ortodoxo, aunque un poco más detallado.

A partir de la información obtenida, el homeópata determina el o los remedios que necesita su paciente. El proceso para hallar el remedio indicado se facilita al consultar los manuales de referencia que relacionan los síntomas descritos con los remedios que tienen dichas características. En fecha reciente, esta información ha sido acumulada en programas para computadora y los casos difíciles se resuelven con mayor rapidez por medio de este sistema.

En los casos agudos, los síntomas suelen ser más sobresalientes y definidos que en las situaciones crónicas, y la elección de remedios para padecimientos agudos suele ser bastante rápida y simple. La mayor parte de los trastornos agudos pueden solucionarse con unos cuantos remedios, muchos de los cuales se encuentran en el botiquín casero de remedios (véanse el capítulo 10 y el apéndice 1).

Si se obtiene suficiente información durante la primera visita, las subsecuentes serán más breves. A la larga, el tiempo invertido en la primera sesión brinda muchas recompensas al médico y a su paciente, siempre que se hayan establecido lineamientos claros para los tratamientos futuros. Si el homeópata elige el remedio correcto, es posible que desaparezcan también muchos de los malestares que el paciente ha experimentado durante años, con lo que se ahorrará mucho tiempo en el futuro. Una terapia eficaz también mejora la calidad de vida del paciente y da al médico una mayor satisfacción en su trabajo; por consiguiente, la terapia adecuada provoca una sensación de bienestar, tanto físico como mental, en el paciente y en su médico.

El homeópata puede concluir la consulta con una explicación sobre la forma de administrar los remedios y cómo debe tomarlos. Los remedios homeopáticos se administran de distintas maneras, dependiendo de que la enfermedad sea aguda o crónica y de la potencia, o fuerza, que se utilice. En los padecimientos agudos suele utilizarse una potencia elevada y administrarla con frecuencia (al principio, cada cinco o diez minutos) y luego a intervalos cada vez más prolongados (media hora, una hora, dos horas), según la mejoría observada. Por otra parte, en los casos crónicos lo habitual es utilizar una dosis única de potencia elevada, o una dosis única dividida —es decir, tres polvos a tomar cada cuatro horas—, y repetirla en un mes o más tiempo, según el estado del paciente. Sin embargo, cuando se utiliza una potencia baja habrá que indicarla en forma de tabletas, tomando una dos o tres veces al día durante un periodo de dos a tres semanas, o más; una vez más, esto dependerá de la condición del enfermo.

También es necesario explicar que los medicamentos homeopáticos empiezan a asimilarse en la boca y que, por ello, es necesario administrarlos con la boca limpia y con suficiente tiempo antes o después de ingerir alimentos, bebidas o fumar. Hay que evitar tomarlos con agua, porque esto impide que permanezcan en la boca el tiempo necesario para su completa absorción.

Es aconsejable almacenar los remedios donde no estén expuestos a una luz intensa o al sol, o al frío o calor excesivos; asimismo hay que mantenerlos lejos de sustancias de olores fuertes como alcanfor o menta. Todo lo anterior se debe a que el calor, la luz y las sustancias de olores fuertes destruyen el poder de los remedios. En otras palabras, ¡no los ponga en una ventana al rayo del sol junto a una bola de alcanfor!

Algunos homeópatas también aconsejan que el paciente no consuma té o café durante el periodo de tratamiento. Aunque no hay un consenso general al respecto, si usted toma grandes cantidades de café o té es aconsejable, incluso desde el punto de vista de la salud, que reduzca el consumo en la medida de lo posible.

3. Cómo llegan los médicos a la homeopatía

Aunque desde sus inicios, en 1948, la homeopatía ha formado parte del Sistema Nacional de Salud de Gran Bretaña (British National Health Service), la materia nunca ha sido tema de estudio de posgrado en alguna de las escuelas de medicina de Inglaterra. Si alguna vez se menciona la homeopatía a los estudiantes de medicina, se hace de manera despectiva, describiéndola como un método para tratar a los pacientes con diluciones increíbles o cantidades mínimas de sustancias que no pueden tener efecto alguno en el organismo. De hecho, el adjetivo "homeopático" suele considerarse sinónimo de "increíblemente pequeño" o, incluso, inexistente. Del mismo modo, nunca se hace mención de los principios fundamentales de la homeopatía y el estudiante de pregrado que ha oído mencionar el tema tiende a conducirse con un prejuicio arraigado que será difícil superar en el futuro; lo mismo puede decirse de veterinarios, enfermeras y farmacólogos.

Por consiguiente, la homeopatía se ha convertido en un estudio de posgrado y debe reclutar a sus especialistas de entre los miembros de las profesiones médica, odontológica, veterinaria y farmacológica que tengan la suficiente amplitud de criterio para probar con nuevos enfoques. Aunque la homeopatía resulta atractiva al practicante técnico no profesional, y el número de ellos ha aumentado de manera acelerada en Inglaterra, esta situación ha recibido críticas muy ásperas de los profesionales de la medicina, porque temen que los homeópatas que no son médicos no cuenten con suficientes conocimientos de los principios básicos de la medicina —temor que apareció por escrito en un informe publicado en una revista médica sobre medicina alternativa. La homeopatía no es un sistema de tratamiento por sí sola; es sólo una forma de utilizar las sustancias medicinales y, por ello, debe tener un lugar prominente en la profesión médica como una herramienta más para el médico, dentista o veterinario, aunada a su conocimiento ortodoxo. El actual surgimiento de escuelas técnicas es, en gran medida, culpa de la propia profesión médica, pues debido a su constante desprecio de esta forma de tratamiento ha provocado que la demanda sea mayor que el número de médicos homeópatas.

No obstante, a pesar de la falta de conocimientos en el tema, y los prejuicios existentes, hay un flujo pequeño, aunque constante, de médicos que están dispuestos a investigarlo. Hay varias maneras en que los profesionales pueden llegar a interesarse en la homeopatía.

- Primero, habrá interés en el tema, desde temprana edad, si uno de los progenitores o parientes cercanos ha practicado la homeopatía. El médico, de este modo, dispondrá de información bien fundamentada sobre el tema antes de entrar en contacto con cualquier comentario prejuiciado.
- Segundo, una experiencia personal con la homeopatía al haber recibido atención de un médico homeópata, o porque algún miembro de la familia se sometió a la terapia y los resultados causaron una buena impresión. La manzanilla, sustancia casi específica para los niños irritables en etapa de dentición, es responsable de la existencia de la mayoría de los defensores de la causa homeopática, más que cualquier otro remedio de esta clase, incluso el árnica, remedio utilizado para las lesiones. El alivio que ofrece la manzanilla a los progenitores, sin mencionar al bebé, después de varias noches de insomnio y días de desesperación, ha instado a muchos médicos practicantes a investigar

más sobre este sistema de tratamiento.

• Una tercera vía por la que los médicos adquieren interés en la homeopatía es mediante la observación de los resultados que tiene en sus pacientes, cuando la terapéutica ortodoxa fracasa. Esta experiencia puede ocasionar que el médico asista a un curso sobre homeopatía para confirmar si merece mayor atención.

• Otra manera como se estimula la investigación de la homeopatía es el creciente temor de los posibles efectos tóxicos colaterales de los preparados farmacéuticos ortodoxos. Dichos efectos se han vuelto cada vez más comunes en la actualidad y muchos pacientes, descontentos con estos medicamentos, buscan alternativas más seguras.

• Una quinta modalidad es el azar, cuando el médico tropieza por casualidad con la homeopatía: durante un seminario sobre métodos alternativos de tratamiento al cual asistió por interés general o por su decepción con los tratamientos ortodoxos.

De hecho, el fracaso de los enfoques ortodoxos ha ocasionado que muchos especialistas ingresen en las filas de la homeopatía. Los médicos y sus pacientes experimentan cada día mayor frustración con la incapacidad de los métodos convencionales para controlar el creciente problema de las enfermedades crónicas. Los consejos como "es la edad" o "tendrá que aprender a vivir así" empiezan a perder su eficacia y muchas personas buscan, con desesperación, una alternativa que les ofrezca la promesa de mejorar la salud.

En los últimos años, diversos artículos publicados en revistas y documentales de televisión han llevado la homeopatía al público general, tanto pacientes como profesionales de atención de la salud. La opinión pública ha adoptado una postura más natural hacia el ambiente y la salud, en respuesta a la creciente automatización de la sociedad y el hombre, misma que ha ocurrido a lo largo de la mayor parte del presente siglo. La homeopatía encaja con facilidad dentro del contexto más natural y ecológico del individuo y la sociedad en que vive; el énfasis que pone en la exclusividad de cada persona confirma el valor del individuo en esta época computarizada. Para lograr la verdadera salud y el bienestar es necesaria la sensación de importancia personal, un lugar válido en la trama general de las cosas y la certeza de que el plano material no abarca todo lo que ofrece la vida.

Experiencia personal del doctor Robin Gibson

Mi propia experiencia con la homeopatía incorpora varias de las vías en que los médicos adquieren interés en este tema. Durante mi primer año en la universidad encontré un libro de James Tyler Kent en la biblioteca pública; *The Repertory of the Homoeopathic Materia Medica* (*El repertorio de la materia medica homeopática*) me ofreció un panorama de los pacientes y las enfermedades que resultaba muy diferente a cualquier cosa que hubiera conocido hasta entonces, y presentó muchos ejemplos vívidos de la forma como Kent resolvía los problemas clínicos que se le presentaban.

Tiempo después, en mi carrera de pregrado, tuve la suerte de recibir las enseñanzas del doctor Douglas Ross, especialista de Glasgow, así como la experiencia personal de la eficacia de la homeopatía en la curación de la gingivitis (inflamación de las encías), padecimiento que me había acosado durante tres semanas y que desapareció con un preparado homeopático de mercurio. Esto fortaleció mi interés en el tema, pero tan pronto como me vi enfrascado en estudios de posgrado en bulliciosas unidades médicas, quirúrgicas y, después, pediátricas, tuve poco tiempo para continuar mis investigaciones durante esa época.

Mi primera experiencia práctica con el uso de los remedios homeopáticos fue en el tratamiento de un niño

46

con difteria; en ese tiempo trabajaba como jefe de registros civiles en un hospital de enfermedades infecciosas y fui llamado para revisar a un niño muy enfermo que acababa de ingresar en la unidad. El tratamiento normal, en esos días, era colocar al paciente en una cámara de vapor, pues esto facilitaba la respiración y, en caso necesario, administrar un antibiótico, o incluso cortisona, si esta terapia no mejoraba el cuadro. A veces, en los casos muy graves, era necesario practicar una traqueotomía —es decir, colocar un pequeño tubo en la tráquea, por debajo del sitio en que la inflamación ocasionaba la dificultad respiratoria—, pero esto sucedía en casos excepcionales.

Llevé al hospital algunos remedios homeopáticos específicos para el tratamiento de la difteria: acónito, spongia y *Hepar sulphuris*. Cuando revisé al niño, a las 11 de la noche, lo encontré muy agitado y ansioso, y decidí administrar acónito. La causa probable de la difteria en este niño, era una infección viral. Las enfermeras realizaron los preparativos habituales para la cámara de vapor mientras yo aplicaba una dosis de acónito; luego fui a ver a otros tres pacientes, regresé a revisar al niño alrededor de veinte minutos después y lo hallé absolutamente tranquilo y dormido, sin rastro alguno de dificultad respiratoria. Fue dado de alta dos días después, sin recaídas. Cuatro días más tarde, un niño en circunstancias idénticas ingresó en el servicio; también respondió en cuestión de minutos al mismo remedio: acónito. Las enfermeras y yo estábamos muy impresionados con la rapidez de acción del remedio y esta experiencia me instó a investigar el tema con mayor seriedad.

Estudié homeopatía en Glasgow y Londres, y luego conseguí un trabajo de medio tiempo en el Hospital Homeopático de Glasgow, al tiempo que iniciaba una modesta práctica como médico general. Esto me dio la oportunidad de utilizar la homeopatía en un ambiente de consulta general, al mismo tiempo que atendía casos más crónicos en el hospital donde contábamos con un especialista en ginecología y dos cirujanos que operaban una vez a la semana. En aquellos días, también dirigíamos un hospital pediátrico, de tal forma que tuve la oportunidad de constatar los efectos del tratamiento en casos quirúrgicos agudos, pre y posoperatorios, además de atender niños bastante enfermos y una generosa cantidad de problemas de diagnóstico y tratamiento en adultos. En general, era un amplio campo de situaciones clínicas en el cual valorar la eficacia del tratamiento homeopático.

Mi costumbre al visitar a un paciente con una enfermedad febril aguda era dejar una receta para el medicamento convencional adecuado (casi siempre un antibiótico), al tiempo que administraba el remedio homeopático correcto y aconsejaba al paciente —o a los progenitores, si el enfermo era un menor— que continuara con el remedio homeopático, pero que si no había mejoría en dos a cuatro horas, iniciara el tratamiento con el medicamento convencional. En la mayor parte de los casos, el remedio homeopático resultó eficaz y rara vez los pacientes tuvieron que recurrir al tratamiento convencional.

Las enfermedades crónicas son situaciones distintas, pero poco a poco pude resolver varios casos que no habían derivado beneficios de la terapia convencional. Uno de los casos que me causó una honda impresión al iniciar mi carrera homeopática fue el del varón de treinta y dos años con hipertrofia del bazo, presentado en el capítulo 1. Entre tanto, no dejaba de asombrarme la rapidez de la recuperación de nuestros casos quirúrgicos, así como el hecho de que rara vez teníamos que realizar una cateterización de nuestras pacientes después de una intervención ginecológica; dicho procedimiento de cateterización, es decir, introducir un tubo en la vejiga para favorecer la eliminación de orina, suele utilizarse con frecuencia en los hospitales ortodoxos después de esta clase de operaciones. Los remedios más utilizados

48

para la retención urinaria son causticum y staphisagria.

Después de este periodo en el hospital homeopático, trabajé dos años en una unidad de inmunología donde realicé investigaciones sobre alergia para valorar la eficacia de los remedios homeopáticos en el tratamiento de la alergia a los ácaros del polvo doméstico y la fiebre del heno (alergia a los pólenes de hierba). Estos estudios demostraron que los remedios homeopáticos tenían una eficacia extrema en el tratamiento de muchos enfermos que no respondían a las terapias convencionales. Después, como especialista del Hospital Homeopático de Glasgow, organicé dos estudios clínicos sobre la artritis reumatoide en el Centro para Enfermedades Reumáticas; una vez más, resultó evidente que los remedios eran más eficaces que la terapia convencional por sí sola y esto permitió, muy a menudo, la reducción o eliminación de los medicamentos convencionales.

Mi continuada experiencia con la homeopatía confirma la propuesta inicial de que este enfoque al tratamiento es una adición muy valiosa a las diversas terapias disponibles para el profesional de la salud (el armamentario). Aunque no podemos afirmar que sea una panacea para todos los padecimientos, y no hay, a la fecha, un sistema terapéutico que pueda llamarse así, la homeopatía es un enfoque del que no me gustaría prescindir pues puede aplicarse a gran variedad de pacientes y enfermedades, y sus principales limitaciones son, con toda seguridad, las limitaciones que tenga el propio médico.

Experiencia personal de la doctora Sheila Gibson

Mi interés personal siempre ha sido el campo de la investigación. Después de obtener mi título de medicina y terminar mi entrenamiento hospitalario, obtuve empleo como asistente de investigaciones en el departamento de medicina de una universidad donde se realizaban estudios sobre diversos aspectos del envenenamiento con plomo. Dado el creciente interés de mi marido en la homeopatía, yo miraba con asombro los impresionantes, aunque confusos, textos que contenían las primicias de la filosofía homeopática y la *materia medica*, mas no me entusiasmaba dedicarme a otro campo de estudio y, en particular, uno tan arduo como la homeopatía. Podía interesarme en el tema y no me opondría a realizar ciertas investigaciones en ese campo, si se presentaba la oportunidad, pero no tenía intenciones de estudiar esa especialidad.

Más o menos cuatro años después de terminar mis trabajos sobre el envenenamiento con plomo, empecé a dar clases de genética médica, trabajando medio tiempo pues, para entonces, tenía ya dos hijos. El puesto era muy interesante y combinaba la investigación con la enseñanza y el trabajo clínico; no obstante, tuve que reconocer, una y otra vez, la impotencia de la profesión médica ante la mayor parte de los problemas genéticos que se presentan, y me pregunté si no habría una manera de encontrar tratamientos más eficaces para dichas enfermedades.

Mi esposo y yo éramos miembros de diversas sociedades que se ocupaban de aspectos paramédicos, como hipnosis, técnicas divinatorias[1] y radiónica[2], y a través de estos grupos nos enteramos de la medicina psiónica (véase el capítulo 10). Después de un encuentro homeopático en Londres, fuimos a visitar a un médico psiónico en el sur del país, para aprender más del tema. Me impresionó descubrir que, además de los remedios homeopáticos comunes, los médicos psiónicos utilizaban potencias de ADN (ácido desoxirribonucleico)[3] y ARN (ácido ribonucleico).[4] El ADN es el material genético, la sustancia de los genes, y el ARN participa en la transferencia o transformación de las características hereditarias en la síntesis de proteínas. En otras palabras, el ARN es fundamental para la manifestación física del potencial hereditario del ADN.

50

Me pareció que aquí, al fin, había una forma de tratar los trastornos genéticos que había investigado. Me aconsejaron que antes de estudiar medicina psiónica, sería necesario aprender homeopatía y así lo hice, después de renunciar a mi puesto en el departamento de genética para trabajar en el hospital homeopático. Como mi marido era médico especialista en esta institución y participaba en una investigación sobre reumatología, resultó muy lógico que yo le ayudara en el campo de investigación.

Parece que cada vez que empezamos a explorar un nuevo territorio, encontramos panoramas cada vez más incitantes y se presentan cada vez más posibilidades de tratamiento en el camino. Las investigaciones que hoy se realizan en el Hospital Homeopático de Glasgow abarcan numerosos campos además del de la homeopatía, como dietas y terapia dietética, terapia neural, terapia de campos magnéticos y acupuntura.

Aunque varios médicos ortodoxos reconocidos han vaticinado que cualquier investigación en el terreno de la homeopatía invalidará de inmediato el tema, he descubierto todo lo contrario; cuanto más lo analizamos, más interesante se vuelve este campo, tanto por sus aplicaciones como por sus implicaciones generales para la medicina. La investigación actual en física cuántica, inmunología y genética parece fundirse en la base última de la homeopatía, y ofrece explicaciones claras para lo que, hasta ahora, había sido un misterio inexplicable. El ulterior desarrollo de estas investigaciones puede conducir a un entendimiento más profundo de los principios subyacentes de la salud y la enfermedad, y a una mayor capacidad para convertir la última en la primera.

4. Antecedentes de la salud y la enfermedad

Antes de profundizar en el tratamiento de enfermedades con homeopatía, sería provechoso analizar con mayor detalle la naturaleza de la salud y la enfermedad, y qué es lo que ocurrió con un individuo que enferma. Esto es más importante en la homeopatía que en la medicina convencional, debido a que si no se comprenden los distintos niveles y aspectos del ser vivo, es difícil entender las diferencias de actitud entre el enfoque homeopático y el convencional. Además, para formular una terapia realmente eficaz, es necesario tener una idea clara de los procesos que provocaron el padecimiento.

En la actualidad, muchas personas tienen un concepto bastante negativo de la salud, pues tienden a considerarla como un estado en el que no hay malestar o dolor —en otras palabras, un estado de ausencia de enfermedad. La Organización Mundial de la Salud ofrece una definición mínima muy útil que dice: La salud es un estado de absoluto bienestar mental, físico y social, y no sólo la ausencia de enfermedad. No obstante, esta tampoco es una definición exacta, porque la verdadera salud es un estado positivo y dinámico en el cual el individuo experimenta una sensación de bienestar y está lleno de energía, entusiasmo, alegría y creatividad; este estado tiende a ser cada día más raro en la cultura occidental.

Uno de los problemas básicos es que la medicina científica moderna, y la sociedad a la que sirve, han olvidado, en gran medida, quién y qué es el ser humano. Todos tendemos a considerarnos sólo seres físicos y negamos que existe algo en nosotros llamado alma o espíritu; esto origina el concepto de que no somos más que entes químicos y mecánicos, aunque muy complejos y bien integrados. Por consiguiente, nos consideramos máquinas y cuando sucede algo malo, el tratamiento se organiza del mismo modo que para cualquier máquina —damos servicio, reparación y arreglo según si hay malestar, dolor y pérdida de función. Los pacientes que manifiestan algún vago malestar, pero en quienes resulta imposible establecer un diagnóstico específico y, en consecuencia, es difícil o imposible instituir una compostura o reparación, se considera que son embusteros o que la enfermedad es psicosomática —término que sirve para describir algo irreal o imaginario. Esta concepción del organismo como máquina y nada más ha ocasionado un incremento en la administración de productos farmacéuticos para combatir los síntomas y la creación de técnicas quirúrgicas cada vez más sofisticadas para eliminar y reemplazar tejidos y órganos dañados. El remate de esta tendencia es la cirugía de transplante o de "refacción", ¡análoga al cambio de partes desgastadas en una máquina! ¿Acaso nosotros y nuestros cuerpos no somos más que máquinas muy complejas y sofisticadas?

En los mundos inertes, el de la química y la mecánica, los sistemas tienden a pasar de un estado de orden a otro de desorden —dicho de otra forma, tienden a descomponerse y desintegrarse. Todos hemos constatado esto cuando nuestros autos, televisores, lavadoras y refrigeradores tienden a dejar de funcionar y requieren de servicio y reparación, o cuando nuestras casas, si las descuidamos, empiezan a deteriorarse.

Por otra parte, los sistemas vivos no suelen presentar esta tendencia; al contrario, suelen pasar de un estado de relativo desorden a otro de mayor organización. Tomemos como ejemplo cualquier forma de vida: cómo se inicia a partir de una célula y crece y se desarrolla, con la especialización de diferentes grupos celulares, para formar tejidos como el de sostén y las sustancias conectivas del cuerpo, así como órganos como el hígado o el corazón. Estos tejidos crecen y maduran hasta convertirse en una flor, un árbol, un tigre o un ser humano —o cualquiera que sea su destino final—, dependiendo de las características que le fueron transmitidas a través del material heredado, o genes, el cual se encuentra concentrado en los cromosomas.

O tomemos también el ejemplo de la multitudinaria organización de las sustancias químicas que existen en el mundo natural: todas, en última instancia, se inician como dos moléculas muy elementales, bióxido de carbono y agua. Las plantas verdes tienen una maravillosa capacidad para almacenar la energía solar mediante su clorofila (la sustancia que les da su color) y utilizarla para dividir la molécula de agua en sus componentes: hidrógeno y oxígeno; luego, combinan el hidrógeno con el bióxido de carbono para formar azúcares y liberan el oxígeno a la atmósfera. Ésta es la fuente de oxígeno que todos necesitamos y de la cual lo obtenemos al respirar; sin el oxígeno que producen las plantas verdes a partir del agua, no existiría la vida como la conocemos en este planeta. Los azúcares formados de la combinación de hidrógeno con bióxido de carbono se convierten, a su vez, en sustancias que llamamos almidones (el compuesto fundamental de la harina y las papas) las cuales pasan por un proceso ulterior de combinación y producen las sustancias que forman los cuerpos de los seres vivientes. El ser humano tiende a prestar poca atención a las plantas, pues las considera como un aspecto más del ambiente y no se percata del vital servicio que ofrecen tanto al hombre como a todas las criaturas vivas de este planeta.

Al morir un organismo vivo, sólo entonces se encuentra sujeto a las leyes del mundo inerte, sin vida o inorgánico, y procede a desintegrarse en compuestos o moléculas cada vez más sencillas. La diferencia entre un organismo vivo y otro que acaba de morir es la desaparición de lo que hemos dado en llamar vida, ese algo que no podemos ver, oír, oler, tocar, pesar o cuantificar mediante los sentidos físicos, y que sin embargo da animación y dirección al organismo físico mientras vive, además de concederle la capacidad para contrarrestar a las fuerzas de la desintegración y la decadencia.

Por consiguiente, resulta obvio que la vida no depende de los diversos componentes químicos y físicos de nuestro cuerpo, los cuales son sólo las herramientas a través de las cuales la vida se manifiesta y funciona en el plano material, pero que sin el principio de animación –la fuerza o energía vital– no son más que complejos compuestos químicos incapaces de organizarse de una manera directiva y creativa. La función de control es un atributo de la fuerza vital y, cuando desaparece con la muerte, la compleja organización bioquímica cae en un estado de decadencia; al mismo tiempo se pierde la conciencia sensorial del organismo y su capacidad para responder a los estímulos. Así, la persona o el animal deja de estar presente, aun cuando sus tejidos, por algún tiempo, no presenten alteraciones bioquímicas. El análisis de estos hechos es suficiente para apreciar el hecho de que la totalidad de nuestro ser es, posiblemente, mucho más que el cuerpo físico y que de ninguna manera somos simples máquinas.

Es indiscutible que el elemento físico de nuestro ser es lo más evidente y nadie podría negar su existencia; sin embargo, no es todo lo que somos porque también poseemos sentimientos y emociones. Las experiencias de amor, odio, ira, compasión, culpa, alegría, tristeza y otras más se consideran situaciones abstractas comparadas con objetos concretos como piedras, árboles o cuerpos físicos. Estas entidades abstractas no se pueden oler, ver, tocar o escuchar, aunque estos sentidos nos permiten apreciar los efectos que producen en el cuerpo físico.

Además del plano emocional, también existe una esfera mental. Las capacidades mentales se dividen en dos grupos: por una parte podemos producir pensamientos lógicos y racionales con la consecuente capacidad para deducir o encontrar soluciones a los problemas, además del poder analítico del cuestionamiento científico; éste es el lado o aspecto científico y tecnológico de la mente. Por otro lado, también tenemos la capacidad para recordar acontecimientos y situaciones del pasado, para visualizarlos y crear posibilidades futuras en la imaginación. Este elemento de inspiración de la mente va ligado a la capacidad de intuición –que está más desarrollada en algunos individuos. Éste es el lado o aspecto imaginativo, artístico e intuitivo de la mente.

Los dos aspectos de la función mental han sido correlacionados con las mitades (o hemisferios) derecha e izquierda del cerebro; así, el hemisferio izquierdo de la mayoría de las personas tiene que ver con las capacidades lógica, racional, deductiva y analítica, mientras que el derecho participa en las facultades intuitivas, perceptivas e imaginativas. Como, en la mayoría de los casos, los principales centros del habla se encuentran en el hemisferio izquierdo, se considera que el habla es una función del pensamiento racional y lógico; el hemisferio derecho, es en gran medida, no verbal, aunque los centros del habla de este hemisferio se encuentran más desarrollados en las mujeres que en los varones. Por tanto, las funciones del hemisferio derecho tienden a expresarse en términos de símbolos y conceptos más que palabras, lo que explica la razón de que tales conceptos sean difíciles de expresar verbalmente. Es imposible presentar los conceptos del hemisferio derecho como ideas razonables o comprensibles a quienes han suprimido gran parte de sus capacidades cerebrales derechas, y por ende, actúan casi por completo con las funciones del hemisferio izquierdo.

El concepto de la división de los atributos mentales en dos aspectos distintos nos conduce a la frontera del cuarto plano del individuo: el nivel o plano espiritual. Las funciones izquierdas del pensamiento lógico, racional y concreto están dirigidas hacia el mundo exterior y objetivo de la realidad física —el plano finito, material y mundano de la existencia. Por otra parte, las funciones del cerebro derecho –las capacidades perceptivas, intuitivas y artísticas– están orientadas hacia el mundo interior y subjetivo de la realidad trascendental, un mundo que no está limitado al espacio o al tiempo, sino que es infinito y eterno –el reino espiritual, distinto al reino material, físico. El vínculo físico entre los dos lados del cerebro, conocido como *cuerpo calloso*, tiene la facultad de transferir la información de uno a otro hemisferio, de tal forma que los dos aspectos de la función mental no operan de manera independiente, sino que tienen la capacidad potencial de interactuar y combinarse.

En las sociedades occidentales, dominadas por el hemisferio izquierdo, el valor de las funciones derechas es muy cuestionado y, a menudo, son descartadas por considerarlas anticuadas e irrelevantes. No obstante, las posturas extremas, ya sean derechas o izquierdas, se encuentran en desequilibrio, sin armonía y por ello son anormales o enfermizas. En el individuo bien equilibrado, los dos aspectos deben tener un desarrollo equivalente, o al menos similar, y la supresión o negación de un aspecto puede reducir la calidad de nuestras vidas.

La figura 1 presenta algunas de las relaciones que tienen que ver con los dos lados del cerebro.

En consecuencia, el ser humano puede considerarse como un ente compuesto de, por lo menos, cuatro niveles o planos: el plano físico, el plano emocional, el plano mental y el plano espiritual –todos ellos interdependientes e interpenetrantes. El principio que da animación a estos planos –el que los mantiene unidos y equilibra la comunicación entre ellos– puede conceptualizarse como la fuerza o energía vital, el Prana de los hindúes, o la energía Ch'i de los chinos: ese esquivo "algo" que desaparece con la muerte.

En los libros que tratan de los aspectos más espirituales del hombre, los niveles antes mencionados suelen representarse como capas cada vez más exteriores, donde cada nivel ascendente es mayor que el inferior,

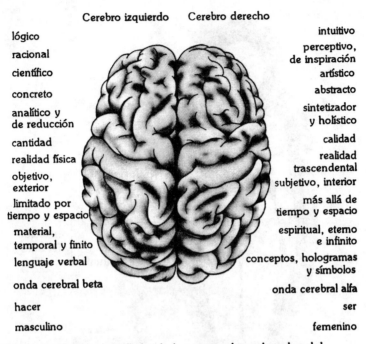

Cerebro izquierdo   Cerebro derecho

Cerebro izquierdo	Cerebro derecho
lógico	intuitivo
racional	perceptivo, de inspiración
científico	artístico
concreto	abstracto
analítico y de reducción	sintetizador y holístico
cantidad	calidad
realidad física	realidad trascendental
objetivo, exterior	subjetivo, interior
limitado por tiempo y espacio	más allá de tiempo y espacio
material, temporal y finito	espiritual, eterno e infinito
lenguaje verbal	conceptos, hologramas y símbolos
onda cerebral beta	onda cerebral alfa
hacer	ser
masculino	femenino

Figura 1. Relaciones de los lados izquierdo y derecho del cerebro.

como aparece en la figura 2. Los niveles emocional, mental y espiritual forman un campo de energía que rodea al cuerpo, conocido como aura; algunas personas tienen la capacidad de ver algunos aspectos del aura, hecho que ha sido comprobado, parcialmente, por la tecnología moderna. En el libro *The Science of Homeopathy*, el practicante griego de homeopatía Vithoulkas[1] presenta un diagrama un poco distinto en el cual cada nivel ascendente aparece representado dentro y encima del nivel previo, mientras que la fuerza vital interpenetra la totalidad de ellos. Sin embargo, Vithoulkas sólo presenta tres niveles —físico, emocional y mental— y no incluye el nivel espiritual. La figura 3 muestra esta forma

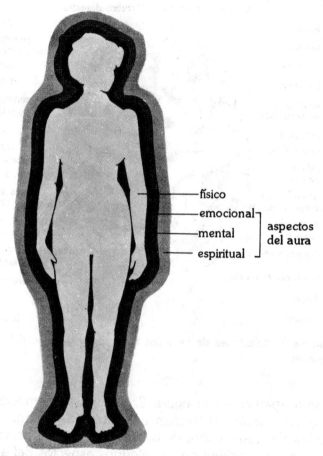

física

emocional ⎤

mental ⎦ aspectos del aura

espiritual

Figura 2. Campos de energía del ser humano.

de representación de los cuatro niveles. La diferencia entre las figuras 2 y 3 tal vez no sea importante, pues cada una es una representación distinta de lo que sólo puede considerarse un tenue reflejo del estado real de las cosas, del mismo modo que una ilustración de los órganos del cuerpo es nada más una escueta imagen del verdadero funcionamiento interno.

60

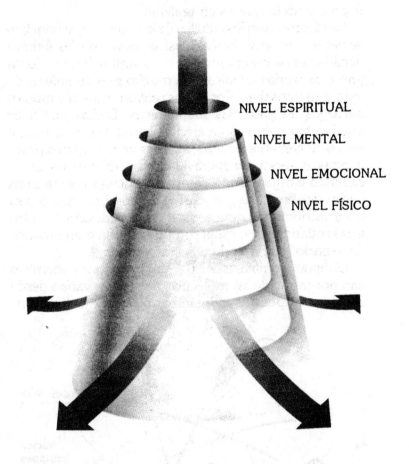

NIVEL ESPIRITUAL

NIVEL MENTAL

NIVEL EMOCIONAL

NIVEL FÍSICO

Figura 3. Representación esquemática de los campos de energía del ser humano.

Desde hace más de 150 años, químicos y físicos han sabido que la materia no es como la percibimos, pero a pesar de que Einstein, y otros científicos atómicos, demostraron que la materia y la energía son intercambiables, persistimos en la idea de que la materia física es sólida y estable; no obstante esto es sólo la forma como la percibimos, el registro que deja en nuestros sentidos físicos, y no lo que es en realidad.

Los átomos son los ladrillos de la materia, y al principio se pensó que eran indivisibles; empero, en las últimas décadas se ha observado que los sencillos átomos de las primeras teorías atómicas son mucho más complejos de lo que se pensaba, y los físicos realizan cada día nuevos hallazgos de partículas subatómicas. Dichas partículas pueden tener una carga eléctrica positiva o negativa, o ser eléctricamente neutras; algunas tienen masa o peso, y otras parecen ser ingrávidas. Las diferencias en la cantidad y organización de estas partículas resulta en los cientos de elementos que existen en nuestro planeta y su composición es tal que, a pesar de la evidencia de nuestros sentidos físicos, están compuestos, en gran medida, de espacio, como lo demuestra la figura 4.

Distintas combinaciones y organizaciones atómicas dan por resultado las moléculas, las cuales varían desde simples compuestos inorgánicos o inertes como sales,

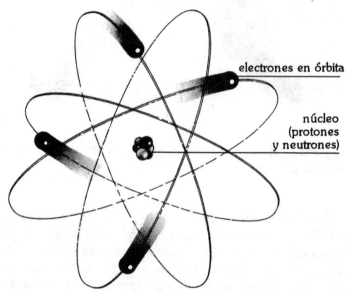

electrones en órbita

núcleo
(protones
y neutrones)

Figura 4. Diagrama de un átomo.

agua, oxígeno y bióxido de carbono, hasta sustancias orgánicas muy complejas que elaboran los sistemas vivientes y que son fundamentales para su adecuado funcionamiento; estas sustancias son producto de la vida y, aunque no constituyen el principio de animación, son indispensables para que la energía creativa se manifieste y funcione en el plano físico.

La creciente complejidad de la materia crea una serie de compuestos de organización cada vez mayor, como ilustra la figura 5. Las partículas subatómicas están organizadas para formar átomos y distintas cantidades, clases y disposiciones atómicas crean las moléculas. Al ascender en la escala de complejidad, encontramos que muchas moléculas muy evolucionadas y sofisticadas participan en la constitución de, incluso, la célula viva

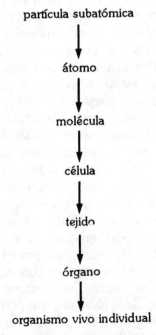

Figura 5. Secuencia de la organización superior.

más simple. El desarrollo de molécula a célula también representa el paso del mundo inerte al mundo vivo. Gracias a la especializada tecnología moderna, podemos recrear muchas de las moléculas complejas que se encuentran en la naturaleza, mas no tenemos la capacidad para crear vida —otro argumento en favor de la existencia de una fuerza o energía vital, cualquiera que ésta sea.

Las células se organizan en grupos para formar tejidos como el graso, muscular o esquelético; los tejidos se agrupan para formar órganos como el corazón, los pulmones o el cerebro; muchos órganos y tejidos, al funcionar en conjunto, integran los cuerpos vivos, ya sean de plantas, animales o personas.

Esta organización y cooperación se observa en toda la naturaleza. La integración y cooperación no ocurre sólo en células, tejidos y órganos para formar una criatura viva, sino que los entes vivos pueden cooperar entre sí, algunas veces, y dar origen a sociedades asombrosas. Todos conocemos las complejas sociedades de los insectos, donde se observa la cooperación de muchos individuos de la misma especie para producir colonias muy organizadas de abejas, hormigas y termitas. Sin embargo, a pesar de su complejidad, lo más asombroso es la interacción de distintos reinos naturales —a menudo, aunque no siempre, para beneficio mutuo.

Por ejemplo, las babosas marinas, una variedad de molusco, viven en las zonas profundas cercanas a las costas y la mayor parte de estas especies poseen un colorido más intenso que las babosas de tierra, las cuales todos hemos visto. Son, en apariencia, seres desamparados,[2] presa fácil de cualquier pez. Las partes más coloridas de estos moluscos, y en consecuencia, las más llamativas, son las papilas —estructuras vellosas— que crecen en el dorso de la babosa y que, en sus superficies, tienen dispuestos grupos de células con aguijón conocidas como células urticantes o nematocistos, las cuales estallan bajo el más leve contacto y lanzan una estructura

64

cortante, parecida a un látigo. Se cree que estas células son un mecanismo de defensa que protegen a las babosas de sus enemigos —peces que de otra manera se alimentarían de ellas.

Sin embargo, los nematocistos no forman parte natural de la babosa marina; son células derivadas del grupo de animales celenterados, que incluyen a las anémonas marinas y medusas. Estos animales tienen nematocistos, los cuales distribuyen cerca de la superficie corporal para utilizarlos como armas de ataque o defensa.

Lo interesante de este caso es que, al parecer, las babosas pueden comer anémonas sin provocar la descarga de los nematocistos; y aún más sorprendente, no digieren estas células con el resto del cuerpo de la anémona, sino que las retienen en el estómago y luego las transportan a través de estrechos conductos recubiertos de vellosidades móviles que desplazan el contenido de los conductos en una misma dirección y lo llevan del estómago a diminutas bolsas situadas en la periferia de las papilas. Una vez allí, los nematocistos son distribuidos en hileras simétricas, con la orientación adecuada para descargarlos contra los enemigos de las babosas. Así pues, las babosas marinas utilizan los mecanismos de defensa de otras criaturas para sobrevivir.

Otro ejemplo de interacción entre seres vivos en la que las dos especies obtienen beneficios equivalentes, se da en la selva amazónica, donde una variedad especial de orquídea es polinizada por una variedad específica de abeja que parece hecha a la medida para entrar en la flor que debe polinizar. Un programa de televisión sobre la vida salvaje presentó esta situación. La abeja penetra en la flor para recoger el néctar y la poliniza al mismo tiempo, mas después descubre que la única forma como puede salir de la flor es arrastrándose a lo largo de un conducto estrecho y tortuoso. Durante su recorrido hacia la salida, la abeja recoge el polen de la flor, el cual sirve para polinizar la siguiente flor que visita. La polinización es un proceso tan complicado y mecánicamente maravilloso que resulta casi increíble; asimismo, este proceso es específico para esa especie de abeja y variedad de orquídea, así que si uno de estos seres llegara a desaparecer, el otro también moriría.

Hemos presentado sólo dos ejemplos de los muchos que podemos citar sobre las fuerzas que controlan e interactúan en la naturaleza, y del sutil eslabón que aparece en todo el mundo natural y que conserva el equilibrio del planeta.

Es difícil imaginar que unos mecanismos tan complicados y minuciosos como los mencionados pudieron aparecer por casualidad, y la teoría de la evolución paulatina es poco factible, debido a que estos ejemplos de cooperación entre especies muy distintas aparece, en muchos casos, desarrollada por completo, sin una serie de pasos intermedios. Los hechos, como los percibimos, sugieren la existencia de una inteligencia coordinadora que opera de manera oculta, quizá un aspecto de esa misma energía o fuerza vital que hemos visto funcionar en la integración y organización de un organismo vivo. Dicha fuerza vital que integra los aspectos físico, emocional y mental del individuo, y que aquí hemos comparado con una parte del plano espiritual, es lo que subyace a la trama compleja, entretejida e interrelacionada de la vida en el planeta.

El esquema de la complejidad creciente, de partícula subatómica a ser vivo independiente, presenta siete niveles de organización y sólo tres de ellos se encuentran en el mundo inerte o inorgánico. A partir del nivel celular, la fuerza vital entra en acción.

Si retomamos nuestros componentes físicos básicos, podemos afirmar que estamos formados de múltiples partículas que se mantienen unidas con enlaces eléctricos de diversa fuerza e intensidad. Las fuerzas eléctricas son fundamentales para el sistema, pues son los atributos de las partículas subatómicas y su atracción eléctrica lo que mantiene la cohesión de átomos y moléculas. Los enlaces y las reacciones químicas dependen también de estas fuerzas eléctricas; en esencia, cualquier fenómeno químico es una reorganización de fuerzas eléctricas; esto persiste en los niveles celular, tisular, orgánico y corporal, y se manifiesta en las cargas eléctricas que podemos registrar en todas las membranas celulares, desde las más simples hasta las células musculares y nerviosas. Los electrocardiogramas (ECG), electromiogramas (EMG) y electroencefalogramas (EEG) —registro de la actividad eléctrica del corazón, los músculos y el cerebro, respectivamente— son aspectos de estas fuerzas eléctricas esenciales para el funcionamiento armónico del cuerpo. Por consiguiente, podemos considerar que un organismo vivo es un sistema eléctrico muy intrincado.

Al representar a un individuo como una serie de planos interpenetrantes de creciente delicadeza y sutileza, podemos darnos cuenta de que los cambios en cualquier plano afectan a todos los demás. Esta relación aparece representada, de otra manera, en la figura 6. Por ejemplo, los cambios en el plano físico como consecuencia de una sustancia tóxica o una infección pueden tener efecto en los planos mental y emocional; esto es algo que todos hemos experimentado. Tal vez el ejemplo más común sea la depresión posterior a la gripe, la cual puede prolongarse varios días o semanas después de la desaparición de los síntomas físicos. Del mismo modo, una tensión en los niveles mental y emocional puede afectar al cuerpo físico; por ejemplo, las úlceras duodenales de los ejecutivos sometidos a grandes presiones o la artritis reumatoide provocada por una aflicción profunda. Un ejemplo de lo anterior es el caso de una paciente que participó en uno de nuestros estudios sobre artritis. Varios años antes de recibirla en el consultorio, esta mujer viajó con una amiga a Flandes, para visitar un cementerio militar. Su hermano, quien fuera soldado durante la Segunda Guerra Mundial, murió en Flandes y estaba enterrado allí. Un mes después de regresar de su viaje desarrolló, de manera repentina, todos los síntomas de la artritis reumatoide.

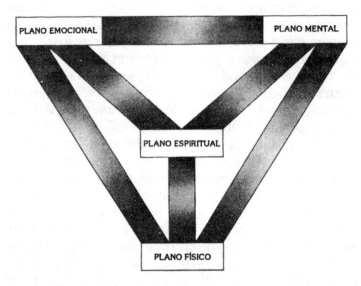

Figura 6. Interrelaciones de los campos de energía.

Es difícil valorar el efecto que tienen las alteraciones del plano espiritual en nuestro bienestar mental, emocional o físico, pero percibirnos como máquinas y negarnos cualquier aspecto espiritual, con la consecuente pérdida del significado de la vida, bien puede ser una causa del sufrimiento y la frustración que hay en la actualidad y que tiene resultados tan diversos como el vandalismo y el cáncer —aspectos de la destrucción en uno u otro nivel.

El concepto de que un ente individual está compuesto de distintas capas o planos interpenetrantes e interdependientes también enfatiza la artificialidad de la distinción que hacemos entre la enfermedad mental y la física. Es posible que la mayor parte de los padecimientos contengan los dos elementos, aunque uno de ellos tendrá preponderancia y nos permite realizar una clasificación de la enfermedad. Sin embargo, esta clasificación puede pasar por alto la causa subyacente del problema del paciente; por ejemplo, hace algunos años, un hombre acudió a la consulta externa quejándose de ataques de depresión graves, los cuales había presentado desde hacía siete años ocasionando su ingreso en diversos hospitales para enfermedades mentales donde recibió toda clase de tratamientos, incluida la terapia electroconvulsiva (TEC) sin resultados. La homeopatía tampoco le ayudó, pero durante su tercera visita comentó que no sabía qué había ocurrido primero, si su problema de sinusitis o su depresión. Al mencionar la sinusitis nos alertó de una posible alergia y se le indicó una dieta simple de exclusión de alergia compuesta de carne de cordero, peras y agua durante cinco días. Este tratamiento mejoró tanto el problema de los senos como su estado general. Luego empezó a consumir un nuevo alimento al día y al incluir el café instantáneo, esto provocó un nuevo ataque de depresión. Entonces el paciente recordó que siete años antes instalaron una máquina de café instantáneo en el edificio donde trabajaba y que había adquirido la costumbre de tomar una taza cada vez que pasaba por allí. Se le indicó que eliminara todo el café instantáneo de su dieta y, a partir de ese momento, ha permanecido en buenas condiciones.

Como hemos dicho, la salud es un estado dinámico y positivo de bienestar, un estado de armonía y equilibrio en todos los niveles de la vida. La enfermedad es estar mal (malestar), un estado de falta de armonía y desequilibrio en uno, otro o varios niveles. Con el fin de lograr una curación duradera, es necesario corregir el desequilibrio fundamental; no obstante, tal vez sea difícil determinar la causa básica del desequilibrio.

Volvamos al esquema de los planos interdependientes del ser, interpenetrados por el principio de la fuerza vital. Mientras el organismo permanece lleno de dicha fuerza, puede contrarrestar la desintegración y la decadencia a que está sometido el mundo inerte. Por consiguiente, un ser vivo es, en esencia, un sistema que tiene la capacidad de curarse solo. Todos conocemos la otra propiedad de los seres vivos —la capacidad para reproducirse. Desde el virus más insignificante hasta el ser humano, todos los seres vivos pueden reproducir su especie, atributo que no posee máquina alguna. Por ello, los sistemas vivos tienen el potencial de curarse a sí mismos y autorreplicarse. La capacidad de curación de los organismos vivos es asombrosa. Todos prestamos poca atención a nuestra capacidad para curar heridas y raspaduras, restaurar huesos rotos y curar resfriados; tendemos a restar importancia a la capacidad de una lagartija o salamandra para volver a desarrollar una cola seccionada, con el argumento de que son seres relativamente simples y poco especializados. No obstante, esta asombrosa capacidad de recuperación no está limitada a los reptiles. Un médico especializado en la atención de pacientes accidentados en Sheffield[3] afirma que los niños, y aun los adultos, pueden volver a desarrollar las puntas de los dedos, a condición de que la lesión no se extienda hasta la falange terminal; esta declaración fue recibida con gran escepticismo por el mundo médico. No tenemos más informes de esta clase, pero conocemos a una mujer que tenía destruida por completo la articulación izquierda de la cadera, como consecuencia de la artritis reumatoide. Los huesos de la cadera y el fémur estaban fusionados y no había movimiento alguno en la articulación; empero, a los seis meses de tratamiento homeopático, había vuelto a desarrollar una articulación de la cadera. El aspecto a los rayos X y la función han mejorado mucho, a pesar de que suele decirse que una vez destruido el cartílago de una articulación (la sustancia que recubre el espacio articular), es imposible que vuelva a regenerarse.

Otro caso interesante es el de un niño que sufrió durante el trabajo de parto y esto le provocó una ligera espasticidad. A los seis años tenía escaso control muscular y no podía abotonarse la ropa o atarse las agujetas; asimismo, tenía grandes dificultades para el aprendizaje escolar. Dado que la falta de coordinación era un factor fundamental en su problema, utilizamos en su caso una forma modificada de acupuntura que puede corregir las alteraciones del flujo de la energía. A los pocos minutos de tratamiento, pudo abotonarse el abrigo; hoy, después de dos o tres sesiones de tratamiento, han mejorado su coordinación y su desempeño escolar.

Este método de acupuntura también es valioso en más del 60% de los casos de esclerosis múltiple. En la actualidad tenemos varios pacientes de esclerosis múltiple que se han beneficiado de este tratamiento, el cual queda bien ejemplificado en uno de nuestros primeros casos. Se trata de un hombre de cuarenta y seis años que había presentado síntomas y signos de esclerosis múltiple desde hacía seis; dos años antes tuvo que permanecer en una silla de ruedas durante varias semanas, pero logró recuperarse lo suficiente para caminar, torpemente, con trípodes. Cuando acudió por primera vez a la clínica homeopática, podía caminar con un solo trípode; a los pocos minutos de tratamiento, su marcha había mejorado mucho y, al día siguiente, logró caminar sin apoyo e incluso subir y bajar por la escalera, sin ayuda –cosa que no había podido hacer desde hacía, por lo menos, dos años. Fue necesario repetir el tratamiento para conservar su mejoría.

La enfermedad, como hemos dicho, es un estado de desequilibrio o falta de armonía; las agresiones y presiones que provocan desequilibrios y, por ende, causan enfermedades pueden ser de dos clases:

• Estímulos nocivos o dañinos que atacan al organismo desde el exterior –desde el ambiente que lo rodea. Ejemplos de esta clase de agresiones son las lesiones, infecciones y sustancias tóxicas que penetran en el cuerpo; tensiones emocionales como el duelo, la decepción y la frustración; las presiones sociales y mentales como culpa, exceso de trabajo y demás. Todos estos agentes pueden ocasionar tensión en el cuerpo y, si son más fuertes que la capacidad de resistencia del organismo, provocan desequilibrios que se inician en el nivel que está sometido a la presión.

• Desequilibrios internos —las tendencias hereditarias. Los ejemplos más comunes de esta clase de agentes son las enfermedades genéticas como fenilcetonuria, distrofia muscular o hemofilia, aunque los factores genéticos tienen un papel significativo en todas, o al menos en la mayor parte, de las enfermedades.

Las enfermedades crónicas degenerativas son consecuencia de una combinación de factores ambientales externos y factores internos hereditarios, cuya proporción dependerá de la naturaleza del individuo y de la enfermedad.

La primera protección del organismo contra los estímulos ambientales se encuentra en el sistema de defensa o inmunitario, el cual está compuesto de glóbulos blancos, llamados leucocitos, y diversos factores que se encuentran en la sangre y los tejidos —las distintas clases de anticuerpos. Aunque al principio se pensó que el sistema inmunitario era muy sencillo, las investigaciones posteriores han revelado que es un sistema muy complejo que obedece al rígido control de una serie de frenos y sistemas de retroalimentación. Está diseñado, específicamente, para desactivar y destruir agentes infecciosos invasores (bacterias, virus y otros parásitos), y también para neutralizar ciertas clases de toxinas (venenos). El sistema inmunitario está entrelazado con un sistema de mensajeros hormonales o químicos, algunos de los cuales (como la adrenalina, que se produce en exceso durante un conflicto, al correr o por miedo) participan en reacciones a las situaciones de tensión emocional y mental, mientras que otros se ocupan del control de la capacidad de curación y restauración.

En las últimas dos décadas se ha descubierto un nuevo sistema de controles y equilibrio —el sistema de las prostaglandinas. Las prostaglandinas son moléculas mensajeras que tienen la función de armonizar las múltiples y complejas reacciones bioquímicas que se llevan a cabo dentro de las células, así como integrar a las células entre sí. Además, las prostaglandinas disparan, interrumpen o detienen reacciones enzimáticas específicas dentro de las células, lo que permite que el cuerpo responda a las agresiones y presiones ambientales y permanezca intacto. Las prostaglandinas suelen producirse en el lugar donde son más necesarias y tienen una vida media muy corta (se destruyen con rapidez); de este modo, son moléculas transitorias y aparecen en cantidades insignificantes sólo en ocasiones y lugares específicos. Al parecer, las prostaglandinas son responsables de conservar el funcionamiento armónico y constante de las múltiples funciones del cuerpo, estimulan la liberación de las hormonas necesarias, organizan los procesos de curación y restauración y ponen a trabajar a los complejos elementos del sistema inmunitario. En consecuencia, la capacidad del cuerpo para conservar su integridad depende de una serie de respuestas y reacciones específicas interdependientes y muy complicadas.

Así, el desarrollo de una enfermedad requiere de la combinación de factores internos y externos que provoquen el desequilibrio inicial, el cual puede presentarse en cualquier nivel, dependiendo de la estimulación del agente agresor. No obstante, el cuerpo es un sistema que tiene el potencial de curarse solo y por ello puede combatir los efectos del desequilibrio en la medida de sus posibilidades mediante los sistemas de prostaglandinas, inmunitario y hormonal; con ellos pretende limitar los efectos del desequilibrio en los niveles más superficiales —en otras palabras, el nivel físico— y sólo cuando fracasa aparecen manifestaciones de un desequilibrio emocional; o si el agente agresor llega a niveles más profundos, provoca alteraciones mentales. Esto significa que sin importar cuál sea el nivel inicial de ataque al sistema, los efectos quedarán limitados al plano físico, a condición de que el cuerpo tenga la resistencia necesaria. Por supuesto, si la capacidad de curación del organismo es mayor que los factores que provocan el desequilibrio, el cuerpo sanará por completo; la intervención médica sólo es necesaria cuando el cuerpo no tiene la capacidad suficiente para enfrentar esos factores agresores.

Debido a que los factores agresores pueden ser muy complejos y a que el cuerpo, de ser posible, limita las manifestaciones de la enfermedad al plano físico, a veces es difícil determinar la causa del desequilibrio básico; esto provoca que, a menudo, consideremos que las enfermedades son exclusivamente físicas cuando, en realidad, tuvieron un disparador emocional, como en el caso de la mujer que desarrolló artritis reumatoide después de su viaje a Flandes, o algún elemento mental o, incluso, espiritual que precipite la crisis. Del mismo modo, hay problemas mentales o emocionales que surgen de una causa física, como fue el caso de la víctima del café instantáneo, y el médico ortodoxo suele tener aún más dificultades para establecer este diagnóstico.

Es importante recordar siempre este concepto de los factores o agentes causales. Un individuo puede encontrarse bajo la presión de varios factores, tal vez tanto internos como externos, y tener la capacidad de enfrentarlos, así como la fuerza suficiente para conservar el equilibrio del sistema, aunque sea con dificultad; mas entonces aparece un agente o tensión adicional e inesperado, que es la gota que derrama el vaso, por así decirlo, como sería el fracaso de un proyecto laboral o exceso de trabajo, la muerte de un ser amado, una discusión con un colega o algo malo en la comida, y esto provoca que se rompa el equilibrio y aparezca una enfermedad. Según la naturaleza e intensidad de la tensión con respecto de las reservas del organismo, o la falta de ellas, así como la constitución hereditaria del individuo, la enfermedad resultante podría manifestarse como una ligera alteración gastrointestinal, un ataque grave de colitis, un ataque cardiaco, artritis reumatoide, una crisis nerviosa y muchas cosas más. La enfermedad manifiesta no tiene, necesariamente, una relación obvia con la causa que la precipitó, lo que hace que la clasificación de las enfermedades según los síntomas y con una lista de causas conocidas, se vuelva absurda y arbitraria.

En los siguientes capítulos procederemos a analizar lo que es la homeopatía, cómo surgió y se desarrolló, y cómo encaja en el esquema de salud y enfermedad que acabamos de describir.

5. ¿Qué es la homeopatía?

La homeopatía no es un sistema completo de medicina, sino un sistema terapéutico —es decir, un sistema de administración de medicamentos. Los remedios se obtienen, de manera primordial, del mundo natural (los reinos mineral, vegetal y animal), y se seleccionan y administran con apego a un conjunto de principios básicos. Los médicos que utilizan la homeopatía reciben la misma capacitación y entrenamiento básico de sus colegas convencionales, y el estudio de la homeopatía es un tema adicional de posgrado. El diagnóstico es el mismo sin importar que el médico sea homeópata u ortodoxo, pero el especialista homeopático tiene la ventaja de no necesitar un diagnóstico antes de iniciar el tratamiento, porque indica el remedio para el paciente y no para la enfermedad.

El principio fundamental de la homeopatía es que el remedio puede curar los signos y síntomas que provoca —es decir, el principio de tratamiento con similares. Esto es lo opuesto de la medicina tradicional, que utiliza sus remedios y medicamentos para contrarrestar los síntomas y signos de la enfermedad —en otras palabras, tratamiento con contrarios. Por ello, en el tratamiento con similares se administra un remedio que imite los signos y síntomas de la enfermedad para curarla; en el tratamiento con contrarios la enfermedad se alivia con remedios que actúan contra los signos y síntomas.

La homeopatía también difiere de la medicina ortodoxa en que depende de la capacidad del organismo para efectuar su propia curación, y trabaja con esta capacidad para fortalecer en caso necesario, buscar las causas básicas subyacentes de una enfermedad y efectuar, en la medida de lo posible, una curación permanente; de este modo, la homeopatía pretende devolver la armonía y el equilibrio al organismo. Por otra parte, la medicina ortodoxa tiende a considerar al cuerpo como una máquina y utiliza medicamentos y remedios para contrarrestar los síntomas y signos de una enfermedad; por ello tiende a ser paliativa, más que curativa. En el enfoque ortodoxo la enfermedad se considera como la suma total de los síntomas y signos que produce.

En la homeopatía se adopta una postura bastante distinta. Se considera que cuando un individuo enferma, es decir, pierde su equilibrio, el organismo responde tratando de recuperarlo, es decir, curando; esta respuesta provoca los signos y síntomas que experimenta el enfermo y percibe el médico. Los síntomas y signos no se consideran una enfermedad, sino el resultado de la respuesta del cuerpo al estado de desequilibrio inicial; por esta razón son indicadores del grado de desequilibrio del organismo y de la intensidad con que ha sido afectado el sistema, y son específicos del individuo sin importar la causa básica del desequilibrio. Por consiguiente, el cuadro clínico sirve para diseñar el tratamiento necesario para devolver el equilibrio, y por ende la salud, al individuo.

Como cada persona es distinta, las respuestas a la misma agresión o tensión pueden diferir, lo que significa que el tratamiento debe ser indicado, de manera específica, para cada paciente. Por ejemplo, una persona que tiene gripe puede experimentar escalofrío, agitación y ansiedad, necesita recibir mucho calor y beber agua fría con frecuencia; puede tener un escurrimiento acuoso e irritante en ojos y nariz que provoca enrojecimiento y úlceras en labio superior, nariz y mejillas. Asimismo puede presentar vómito y diarrea. Este enfermo requiere del remedio *Arsenicum album*. Otra persona que sufre también de gripe puede sentirse muy cansada y aletargada, con frío y un estremecimiento que le recorre la espalda, además de un dolor occipital sordo. Este enfermo sólo tiene deseos de sentarse junto al fuego, calentarse la espalda o acostarse bien arropado en una cama caliente, y no moverse o hacer esfuerzo alguno; tal enfermo requiere de *gelsemium*. Otro más tiene dolor generalizado en el cuerpo y siente como si tuviera los huesos cortados; en este caso estaría indicada la administración de *Eupatorium perfoliatum*. En todos los casos se trata del mismo virus de la gripe, mas las respuestas individuales a la infección son distintas y, en consecuencia, el tratamiento también cambia.

Cuando una parte del organismo se encuentra infectada, el sistema inmunitario entra en acción y envía glóbulos blancos (leucocitos) y proteínas inmunitarias al sitio de la infección para inutilizar o matar al agente infeccioso y curar los daños. De esta manera, el sitio de la infección se pone caliente, palpitante, inflamado y, a menudo, rojo —debido al aumento de líquidos y células en ese lugar— y hay dolor como consecuencia de la inflamación. Calor, enrojecimiento, dolor e inflamación son los signos clásicos de la inflamación; son resultado de la respuesta del organismo ante una infección, mas no la causa de la enfermedad. Otro ejemplo es el caso de una infección generalizada en la que suele haber fiebre —consecuencia de la respuesta del organismo para crear un ambiente inadecuado para la vida del organismo agresor y, de esta manera, librarse de él. Por consiguiente, la fiebre es producto de la respuesta orgánica al desequilibrio o tensión —en este caso, un organismo infeccioso, como el virus de la gripe. El médico homeópata indicará un remedio específico para ayudar al cuerpo a combatir al virus —trabajando, de este modo, a favor de la capacidad de recuperación del organismo; por su parte, el médico ortodoxo indicaría una aspirina o algún medicamento que reduzca la fiebre —lo que opera en contra de la capacidad de recuperación del cuerpo. Esta diferencia en el enfoque terapéutico constituye la diferencia fundamental entre el sistema de uso de medicamentos en la homeopatía y en la medicina ortodoxa.

Esto origina una diferencia ulterior: un médico ortodoxo suele tratar todos los casos de gripe con el mismo medicamento, quizá un antibiótico, mientras que un homeópata utiliza remedios distintos, según la respuesta del paciente al virus, como quedó demostrado en la discusión precedente.

Una cosa es ver a un enfermo y decir que ha perdido el equilibrio, y otra, muy distinta, es valorar el grado de desequilibrio del individuo y la forma de devolverle la armonía. Las únicas pistas de que disponemos son los síntomas y los signos, tanto del pasado como los actuales, y los antecedentes de la posible causa desencadenante. Por ello, los síntomas y signos tienen vital importancia para el diseño del tratamiento.

El principio de tratamiento con similares —el remedio puede curar lo mismo que ocasiona— fue propuesto por primera vez por el médico griego Hipócrates, en el siglo v a.C. Sin embargo, con el correr de los siglos esta postura fue olvidada o abandonada y sólo hasta fines del siglo XVIII fue descubierta nuevamente, de manera empírica, por el médico alemán Samuel Hahnemann. Al darse cuenta de que al ingerir quina o corteza peruana, de donde se obtiene la quinina, presentaba síntomas y signos de fiebre intermitente (malaria), y a sabiendas de que la quinina es un tratamiento eficaz en los casos de malaria, Hahnemann experimentó con otras sustancias de uso frecuente en esos días para determinar los signos y síntomas que producían. Utilizó muchas de ellas en su persona, así como en parientes y amigos, y registró los efectos que provocaba cada una; luego complementó sus observaciones con la administración del remedio adecuado a los pacientes que presentaban síntomas y signos semejantes y descubrió que había encontrado un elemento terapéutico superior a cualquier otro que estuviera en uso en esa época. Mediante la experimentación y observación, Hahnemann describió los cuadros medicamentosos de muchos remedios y estableció los principios de su administración —remedios y principios que todavía conservan su validez. Hahnemann pasó el resto de su vida incrementando esta información (*materia medica*) y desarrollando sus ideas acerca de la enfermedad y su tratamiento.

Principios de la homeopatía

•*Tratamiento de similares con similares (principio similimum o ley de similares)*. Lo que un remedio puede provocar en síntomas y signos, también lo puede curar. Éste es el principio básico de la homeopatía y a partir del cual se deriva el nombre de esta forma de terapia. El remedio, para que tenga éxito, debe corresponder con la totalidad de los síntomas y signos del paciente con tanta exactitud como sea posible —como quedó demostrado en los tres casos de enfermos de gripe. Otro malestar frecuente es la fiebre. Por ejemplo, un paciente con fiebre puede estar muy acalorado y sofocado, tener el rostro enrojecido, pulso acelerado y fuerte, ojos de mirada fija con pupilas muy dilatadas, y piel muy caliente; se siente mejor abrigado y le molesta estar descubierto; a menudo puede haber dolor de cabeza que empeora con el ruido, la luz o los movimientos bruscos y el paciente prefiere permanecer acostado en una habitación oscura, bien arropado. Otro enfermo tal vez presente una fiebre parecida y tenga calor y rubor, pero en su caso, aunque el pulso está acelerado, las pupilas no se encuentran dilatadas. El inicio de los síntomas es repentino y los más notables son ansiedad e inquietud, y un gran temor de que va a morir; tiene mucha sed y quiere quitarse de encima la ropa de cama. En el primer caso, el remedio sería belladona y en el segundo, acónito; aunque los dos pacientes presentan fiebre, la sutil diferencia entre ambos es lo que determina el remedio. Es evidente que cuanto más parecido sea el remedio a los síntomas y signos, mayor éxito tendrá el tratamiento.

• *El concepto de ensayos.* La forma como se construye el cuadro medicamentoso para cada remedio. Se administra el remedio con diferente fuerza o potencia a grupos de voluntarios sanos (los sujetos de ensayo) durante un periodo definido de tiempo. Los sujetos de ensayo anotan en sus diarios, todos los días, los síntomas y signos que presentan, algún cambio de actitud o temperamento que puedan experimentar, o cualquier otra alteración. Al final del periodo de prueba se cotejan todos los diarios, prestando especial importancia a los efectos que se repiten en el mayor número de sujetos de ensayo. La información reunida con estos ensayos se complementa con los efectos tóxicos conocidos del remedio en cuestión, observados en casos de envenenamiento (accidental o no) y también se incluyen los síntomas y signos que no aparecieron durante los ensayos aunque fueron eliminados, de manera inesperada, en los pacientes que recibieron el remedio como consecuencia de los estudios de ensayo. Es así como se ha reunido abundante información sobre los dos o tres mil remedios de la *materia medica* homeopática.

• *El concepto de dosis mínima.* Muchas sustancias que utilizó Hahnemann en sus estudios eran venenos conocidos y, por consiguiente, no podía administrarlos en grandes dosis a sus pacientes. Además, Hahnemann descubrió que si un enfermo necesitaba un remedio específico, tendía a mostrar sensibilidad al mismo —una sensibilidad superior a cualquier otro individuo en quien no estuviera indicado. Por ello, experimentó con diluciones de sus remedios para encontrar la dosis que ofrecía resultados curativos sin producir efectos colaterales indeseables. Sus tinturas biológicas y demás sustancias solubles estaban diluidas en una mezcla de agua/alcohol, utilizando dos escalas de dilución: la 1 en 10, hoy conocida como la serie de potencias D o X (D = decimal, X = 10); y la 1 en 100, la serie C (C = centesimal). Hahnemann trituraba (molía) las sustancias insolubles con lactosa (el azúcar de la leche) .

en diluciones de 1 en 10 o 1 en 100. Después de la tercera trituración, las sustancias se volvían solubles y entonces procedía a realizar la dilución con la mezcla de agua/alcohol. En cada fase de la dilución, Hahnemann sometía sus diluciones a una serie de poderosas sacudidas golpeando los frascos que contenían las preparaciones, varias veces, contra una superficie sólida; al parecer, esto tenía la finalidad de asegurarse de que las soluciones estuvieran bien mezcladas antes de continuar con la siguiente dilución. Esta medida ocasionaba que cada solución estuviera sometida a una serie de fuertes sacudidas –procedimiento que Hahnemann denominó sucusión.

• *El concepto de potencia*. Para su asombro, Hahnemann descubrió que los remedios así preparados a menudo se convertían en agentes terapéuticos más poderosos que las sustancias originales -observación meramente empírica; además, los remedios preparado en dilución, sin sucusión, no presentaban esta mayor capacidad terapéutica. En consecuencia, Hahnemann dio el nombre de "potenciación" a la combinación de dilución y sucusión, pues este método aumentaba la potencia o poder de sus agentes terapéuticos.

El procedimiento de trituración al que sometía las sustancias insolubles implicaba la molienda de una parte de la sustancia inicial con nueve (o noventa y nueve) partes de lactosa –un azúcar que posee cristales muy abrasivos. La acción de moler, que podía tardar varias horas, ocasionaba que la sustancia inicial insoluble quedara reducida a fragmentos muy pequeños, los cuales quedaban distribuidos en la superficie de las partículas de lactosa. Al repetir varias veces este procedimiento, las partículas de la sustancia inicial se volvían tan pequeñas que ofrecía una gran área de superficie total para la reacción. En el caso de una potencia 3X, el área de superficie podía aumentar en un factor de 1 000, y en el caso de una potencia 6X, aumentaba en un factor de un millón. Hahnemann descubrió que muchas sustancias inactivas en su forma natural, se convertían en agentes terapéuticos al someterlas a este procedimiento.

Aunque, en teoría, es posible utilizar cualquier potencia, se ha observado que, en la práctica, algunas potencias son más eficaces que otras. En Gran Bretaña, las potencias más utilizadas son 1X, 2X, 3X, 6X, 3C, 6C, 12C, 30C, 200C, 1M, 10M, 50M, CM, MM y, en ocasiones, potencias más elevadas. M equivale a mil, así que una potencia 10M, por ejemplo, es una dilución de 1 en 100 repetida diez mil veces. En el resto de Europa suelen utilizarse potencias más bajas. En las farmacias homeopáticas modernas, el procedimiento de sucusión se realiza con máquinas.

• *El concepto del remedio único.* Este principio es la consecuencia directa del principio de curación con similares. El médico homeópata trata de emparejar a su paciente con el remedio más adecuado y, por consiguiente, el paciente debe parecerse lo más posible a un remedio único. Dicho remedio puede cambiar o, en casos de lesiones agudas, es posible que sea necesario utilizar más de un remedio, pero en la homeopatía clásica los remedios se administran uno a la vez y nunca en mezclas. Esto tiene lógica si consideramos que los remedios fueron sometidos a prueba como remedios aislados o únicos y no como mezclas, y que las mezclas de remedios pueden tener efectos distintos a los que se observan con los compuestos aislados.

Cuando se requiere de más de un remedio, es posible administrarlos en secuencia, uno a la vez, con cierto tiempo de separación entre las tomas —por ejemplo, uno cada diez minutos o uno cada media hora. Esta forma de administración de los remedios permite que el cuerpo asimile cada uno de manera individual, situación análoga a la de correr un programa a la vez en una computadora: si tratásemos de utilizar una computadora con más de un programa a la vez, la máquina sería incapaz de procesar la información e indicaría un mensaje de error.

Aunque el enfoque clásico, defendido por el médico estadounidense James Tyler Kent, es administrar los remedios de manera exclusiva, hay otras técnicas, desarrolladas especialmente en Francia y Alemania, que utilizan mezclas de remedios. Los homeópatas de esos países afirman que sus resultados son tan buenos como los que se obtienen con la administración de un remedio único. Éste es un punto de discusión que requiere de estudios adicionales.

• *La ley de dirección de la curación.* Esta ley fue enunciada por el doctor Constantine Hering, discípulo de Hahnemann, y su aplicación práctica permite determinar el curso que sigue el tratamiento. Hering estableció que la curación debe seguir un curso: de arriba hacia abajo —de la cabeza o regiones superiores del cuerpo bajando a los pies—; de adentro hacia afuera —de los órganos internos a las articulaciones o la piel—; de los órganos más importantes a los menos importantes —del hígado, corazón o pulmones a las articulaciones o la piel—; del presente hacia el pasado —retrocediendo en la historia clínica del enfermo. Hering comprendía que la enfermedad era consecuencia del desequilibrio en alguna parte del cuerpo y que, para realizar una verdadera curación, era necesario corregir dicho desequilibrio al cual él visualizaba como si surgiera de los niveles más profundos del individuo hacia la superficie, para luego dispersarse por completo.

Si volvemos al diagrama cuádruple de los planos o niveles físico, emocional, mental y espiritual del individuo —donde cada plano se encuentra dentro y encima del nivel previo—, veremos que hay correlación con la dirección de la curación según Hering (figura 3, página 61). A la vez que la alteración profundiza más en el organismo, desde el plano físico al emocional, de éste al mental y, por último, al espiritual, la alteración asciende cada vez más en el organismo, como aparece representado en la figura 3.

En consecuencia, para eliminar el desequilibrio es necesario que siga una trayectoria por las regiones más bajas y superficiales del cuerpo. Este principio también tiene correlación con la ubicación que damos a las diversas funciones del individuo, donde la capa física más externa tiene una relación especial con los procesos digestivo y generador en el abdomen, las emociones están relacionadas con el corazón en el tórax y el pensamiento se atribuye al cerebro en la cabeza. Por consiguiente, para corregir un desequilibrio, los efectos deben moverse como una onda desde arriba hacia abajo, y de adentro hacia afuera, como propuso Hering. Los órganos más importantes, como el cerebro, el corazón y el hígado, se encuentran en las regiones superiores o más profundas del organismo, así que una dirección de los órganos más importantes hacia afuera, a los órganos menos importantes (como la piel o las articulaciones periféricas) también tiene concordancia con el modelo aquí analizado.

Partir del presente hacia el pasado implica que, de ser posible y con paciencia, retrocedamos en los antecedentes clínicos del enfermo para corregir los desequilibrios sucesivos —algo parecido a quitar capas sucesivas de una cebolla— hasta descubrir y corregir el desequilibrio original y más profundo. Es posible lograr este objetivo con la práctica y hemos observado que, en el transcurso del tratamiento de un padecimiento crónico de mucho tiempo de evolución, los pacientes suelen volver a experimentar síntomas del pasado que tal vez habían olvidado.

Un ejemplo de lo anterior es el de una mujer de cuarenta y cinco años quien acudió a consulta con una neuralgia de algunos años de evolución. Su malestar principal era un dolor intenso que se irradiaba al globo ocular izquierdo. Tenía antecedentes de dolor en el pecho que se extendía hacia los dos omóplatos, y dolor en el cuello que ocasionaba sensación de cansancio en brazos, antebrazos y manos. El remedio más indicado parecía ser spigelia, pero al recibir la dosis, la mujer experimentó palpitaciones y gran ansiedad. La pulsatilla parecía lo indicado para el nuevo cuadro y resolvió los problemas de ansiedad y palpitaciones. Después supimos que la paciente había tenido palpitaciones con anterioridad, pero había olvidado el incidente.

Esta cualidad de la homeopatía de volver al pasado clínico del enfermo representa una ventaja sobre los medicamentos ortodoxos que sólo enmascaran el problema. ¿Qué hace el médico ortodoxo cuando una paciente le dice que no ha vuelto a sentirse bien desde que murió su marido, hace diez años (reacción de duelo) o desde el terrible sobresalto que experimentó al sufrir un accidente automovilístico hace varios años? El médico homeópata, por su parte, puede indicar los remedios adecuados para el sobresalto, la aflicción o cualquier problema que haya tenido, y tener la satisfacción de que su paciente le diga que se siente mejor que en muchos años.

Esto queda ejemplificado en el caso de una joven que experimentó un grave sobresalto tres o cuatro años antes de acudir a la consulta externa de la clínica. Una noche, al volver del trabajo, encontró a sus padres abrazados y muertos; recibió una profunda impresión de la cual nunca se recuperó por completo. Se sentía aturdida y siempre la acompañaba una sensación de malestar, insomnio, ansiedad e incapacidad para enfrentar los problemas. Se le administró una potencia elevada de opio, que era lo más indicado para su estado de aturdimiento. Al otro día, la paciente sintió como si todo se moviera con gran lentitud y, al siguiente, consideró que había vuelto a la normalidad. Recuperó la energía y su entusiasmo ante la vida, su patrón de sueño se normalizó y una vez más pudo hacer frente a los problemas.

Otro caso es el de una mujer que no lloró la muerte de su madre, ocurrida hacía diez años. Estuvieron siempre muy unidas, pero por alguna razón la paciente no pudo llorar esa muerte y desde entonces no había vuelto a sentirse bien. No tenía energía y sus emociones estaban reprimidas. Se le indicó *Natrum muriaticum* 10M, sin resultados; no obstante, éste era el remedio más indicado, por lo que se administró una nueva potencia baja (3X) dos veces al día durante dos semanas. Un par de días después de iniciado el tratamiento, empezó a llorar, y entonces le preocupó el hecho de que no podía dejar de hacerlo. Sin embargo, después de dos semanas, el llanto desapareció, la paciente se sintió mucho mejor y volvió a ser la mujer que fuera diez años antes.

Estos dos casos también demuestran el efecto que pueden tener los bloqueos o trastornos emocionales en el estado general del individuo.

Un problema del pasado, de distinta índole, es el caso de una joven de veintisiete años que manifestaba debilidad crónica y malestar desde hacía mucho tiempo. No tenía energía y solía sentirse cansada y aletargada. Al interrogarla, descubrimos que a los doce o trece años de edad sufrió de constantes hemorragias nasales y, debido a ello, perdió mucha sangre. La quina (chinchona) es un remedio indicado en estas situaciones y, al recibir la dosis, muy pronto recuperó la energía y vitalidad.

Otro ejemplo es el interesante caso de una mujer de setenta años. A la edad de treinta y seis, tuvo que someterse a una operación para corregir un prolapso uterino; por desgracia, durante el procedimiento el cirujano cortó uno de sus uréteres (el tubo que conduce la orina del riñón a la vejiga) y fue necesario trasplantarlo al intestino. Desde entonces, durante treinta y cuatro años, la paciente tuvo una vida bastante incómoda como consecuencia de la nueva ubicación del uréter y debía consumir pastillas de potasio para evitar que sus niveles de potasio en la sangre bajaran en exceso. Tenía frío e irritabilidad, prefería los alimentos condimentados y el vinagre, y evitaba comer grasas, carne y leche. La sepia es un remedio que tiene un cuadro de síntomas de fatiga, debilidad y una sensación de que algo cuelga, e incluso se encuentran prolapsos. El enfermo manifiesta frío e irritabilidad, y tiene dificultades para resolver problemas. A menudo desea consumir vinagre, encurtidos y alimentos condimentados, al tiempo que rechaza la grasa, la carne y la leche. El estado general del paciente, así como su antecedente del prolapso, indicaban la administración de sepia. La enferma pronto comenzó a sentirse mejor y, de hecho, pudo suspender el uso de tabletas de potasio. Al parecer, en este caso el remedio había corregido un desequilibrio bioquímico.

Los conceptos de Hering son de utilidad general aun cuando los pacientes suelen mejorar de manera gradual, sin que la dirección del tratamiento sea muy clara o haya recurrencia de síntomas pasados. No obstante, si hubiera un aparente empeoramiento de los síntomas, la ley de Hering permite valorar si los síntomas presentes en ese momento son parte de una enfermedad previa que permaneció enmascarada durante la fase de curación o un patrón nuevo e indeseable que debe tratarse con otro remedio.

Si mejora el estado del paciente o se cura un problema como el asma, pero aparecen dolores articulares o una erupción en la piel, el médico puede tranquilizar al paciente y decirle que su tratamiento sigue el curso indicado y que el problema articular o cutáneo es transitorio y desaparecerá a su debido tiempo.

Por otra parte, si un paciente con artritis informa que los problemas de articulaciones han desaparecido, a la vez que experimenta una creciente ansiedad e irritabilidad, el médico entonces debe estar alerta y determinar si indicó el remedio equivocado a pesar de que, en apariencia, los resultados sean satisfactorios.

Esto sucedió en el caso de un hombre con eczema y asma, quien recibió un tratamiento con baja potencia de azufre, lo que provocó una mejoría de los dos síntomas. Más tarde se descubrió que el tratamiento era equivocado cuando, al administrar una potencia mayor que alivió el eczema pero empeoró el cuadro del asma. En este caso se utilizó una potencia de polvo casero.

Es importante por consiguiente, tener presente la ley de dirección de la curación para poder obtener una mejoría completa y permanente.

• *Repetición del remedio.* En la homeopatía clásica se administra al paciente una dosis única de alta potencia y, suponiendo una mejoría, no vuelve a repetirse mientras se observe una mejoría de los síntomas. Solo cuando no hay mejoría adicional y es posible obtenerla, o cuando el paciente vuelve a deteriorarse, se repite la dosis de alta potencia pues, al parecer, la dosis inicial se ha agotado y es necesario volver a utilizarla. Esta situación es similar a la de un niño en un columpio: el columpio se empuja una vez y no vuelve a tocarse hasta que ha vuelto a su punto de partida. Si empujamos el columpio en un momento inapropiado del ciclo de movimiento, éste sufre un cambio y tiende a interrumpirse. Del mismo modo, si se repite el remedio homeopático antes de lo necesario, la repetición puede alterar el funcionamiento del remedio e, incluso, arruinar todo lo que se ha logrado.

Las potencias homeopáticas, por consiguiente, son muy distintas de los medicamentos convencionales que se administran todos los días y, en caso necesario, varias veces al día durante varias semanas. Sin embargo, las potencias bajas suelen administrarse de esta manera. En el caso de las potencias bajas, es decir, las potencias inferiores a12C, es posible encontrar dosis de la sustancia, aunque sea en pequeñas cantidades. Por tanto son más parecidas a los medicamentos convencionales.

Otros enfoques de la homeopatía

Hasta ahora hemos descrito la homeopatía clásica descubierta por Hahnemann y desarrollada por Kent. Aunque la homeopatía no ha sufrido cambios drásticos desde hace casi doscientos años, no se trata de una disciplina estática y, a lo largo de su historia, se han realizado variaciones y modificaciones. Hahnemann fue el primero en modificar sus enunciados y, hacia el final de su vida, había desarrollado nuevas diluciones que denominó potencias LM, en las que la sustancia se diluía 1 en 50 000 en cada etapa, en vez de las etapas de dilución más habituales de 1 en 10 o 1 en 100. La serie LM produce diluciones muy elevadas y, aunque no son muy socorridas, se utilizan en ocasiones.

Otra técnica de potenciación de remedios es la desarrollada por Korsakoff. El método clásico de la preparación de potencias requiere de un frasco o tubo nuevo para cada dilución; sin embargo, con el método de Korsakoff sólo se utiliza un tubo. Después de preparada la primera dilución, se vacía el contenido del frasco y se considera que lo que queda en el interior equivale a una gota. Después se agregan nueve (o noventa y nueve) gotas de diluyente y se repite el proceso. Este método es mucho más económico que el clásico, por el ahorro de frascos, y al parecer ofrece remedios bastante eficaces. Aunque no se utiliza en las farmacias homeopáticas de Inglaterra para potencias menores de 1M, en Bélgica se utiliza comercialmente para todas las potencias y también es útil cuando el médico debe preparar una potencia específica para un paciente determinado, como una potencia de cloroformo para un caso de alergia a esta sustancia.

Hahnemann obtuvo sus remedios de los reinos mineral, vegetal y animal, pero al adquirir experiencia con su nuevo sistema terapéutico se dio cuenta de que había tendencias hereditarias en muchos problemas crónicos de salud y decidió desarrollar una clase adicional de remedios, a la cual denominó nosodas, para contrarrestar estos rasgos de la herencia. Las nosodas se preparan a partir de productos de la enfermedad como secreciones, el contenido de las vesículas de la piel o cultivos bacterianos o virales. Con los años, se ha ampliado el número de las nosodas originales de Hahnemann y hoy hay nosodas preparadas a partir de todas las enfermedades infecciosas. Una variedad especial son las nosodas de intestino de Paterson, preparadas a partir de cultivos de bacterias intestinales obtenidos de pacientes que presentaban problemas de salud específicos. Las nosodas son inapreciables para eliminar predisposiciones hereditarias y toxinas de enfermedades adquiridas, las cuales no pueden tratarse con otros medios.

Otra idea semejante a la de producir remedios a partir de enfermedades que luego se utilizan para tratar los efectos de ese padecimiento, es la de potenciar sustancias individuales para contrarrestar estados de alergia e hipersensibilidad a las mismas. Esta técnica recibe el nombre de isopatía y fue demostrada en el caso de alergia al cloroformo que aparece en el capítulo 1: en esa situación, la alergia al cloroformo fue curada con un preparado homeopático de cloroformo. Es posible convertir cualquier sustancia en un remedio homeopático para utilizarla de esta manera; un ejemplo conocido es el del penicillium, preparado a partir de penicilina y utilizado para tratar casos de alergia a la penicilina.

Así pues, en la homeopatía existe un sistema de terapia que pretende fortalecer la capacidad innata del organismo para recuperar la salud utilizando remedios derivados, principalmente, de los reinos mineral, vegetal y animal. Los remedios se eligen a partir de los síntomas y signos que experimenta el paciente y a menudo se administran como potencias homeopáticas. Hay dos métodos para preparar las potencias, el de Hahnemann y el de Korsakoff, y la decisión de utilizar potencias altas o bajas depende de la enfermedad y del médico. En general, las potencias bajas se utilizan con mayor frecuencia en Europa continental que en Inglaterra, donde el médico dispone de toda la serie de potencias, desde las bajas hasta las más altas.

El enfoque de la medicina homeopática toma en consideración todos los aspectos del paciente: los planos emocional, mental y espiritual, además del físico, pues todos son importantes desde el punto de vista de la causa del padecimiento y de la selección del remedio adecuado. Los sistemas terapéuticos que pasan por alto los aspectos más sutiles del individuo a menudo pierden de vista algunas de las causas que precipitan la aparición de la enfermedad y, por consiguiente, tienen menos eficacia.

6. Antecedentes históricos de la homeopatía

Los fundamentos de la homeopatía no son conceptos recientes; ya en el siglo v a.C. Hipócrates afirmó que había dos métodos para tratar las enfermedades. Por una parte estaba el tratamiento con contrarios, donde un medicamento se utilizaba para oponer o contrarrestar los síntomas y signos de la enfermedad, y por la otra había el tratamiento con similares, que estimulaba la curación del cuerpo al administrar sustancias que podían copiar los síntomas y signos de la enfermedad. En el tratamiento con contrarios era un ataque directo contra la enfermedad, la semilla; el tratamiento con semejantes recurría al uso de un remedio que estimulaba la capacidad curativa propia del organismo (la *vis medicatrix naturae* o fuerza curativa de la naturaleza), lo que fortalecía al cuerpo, la tierra.

Estos dos enfoques del tratamiento médico permanecieron activos durante varios siglos, pero durante la época de Galeno, en el siglo ii d.C, la medicina cayó en un estado de caos, por lo que Galeno decidió sistematizar y racionalizar el pensamiento médico, creando una complicada teoría sobre la causa y el tratamiento de las enfermedades, en la que resaltaba la importancia del tratamiento con contrarios y relegaba al olvido el tratamiento con similares. El dogmatismo y autoritarismo de Galeno fue tal que sus ideas controlaron el pensamiento médico durante varios siglos y a pesar de que se demostró la falsedad de sus teorías, la profesión médica tuvo dificultades para desembarazarse de ellas. Un ejemplo de esto fue el maltrato a que fue sometido Harvey cuando demostró el sistema de circulación de la

95

sangre en el cuerpo, debido a que su descubrimiento no se apegaba a lo dicho por Galeno. Es así como el sistema de tratamiento con contrarios adquirió preponderancia en el pensamiento médico y continúa en nuestros días.

Sin embargo, este método no fue del todo exitoso y, con el tiempo, se introdujeron prácticas cada vez más atrevidas para combatir las enfermedades. En el siglo XVI, el médico suizo Paracelso trató de utilizar métodos de tratamiento más lógicos y eficaces, y así preparó el terreno del enfoque farmacéutico para la selección de medicamentos, al mismo tiempo que revivía el concepto del tratamiento con similares. Aun así, a fines del siglo XVIII muchos tratamientos médicos se habían vuelto crueles y bárbaros, y las principales técnicas terapéuticas incluían sangrías, purgas, enemas y complejas mezclas de sustancias tóxicas.

Ésta era la situación imperante cuando aparece en escena el doctor Samuel Hahnemann. Este médico nació en 1755 en el poblado de alfareros de Meissen, junto al río Elba, en el Electorado de Sajonia. Su padre, abuelo paterno y un tío fueron pintores de porcelana en las alfarerías de Meissen, pero debido a los desastrosos efectos económicos de la Guerra de Siete Años, su familia tenía dificultades financieras. A pesar de esto, Hahnemann demostró tal capacidad intelectual que los maestros le ayudaron con sus estudios y le permitieron financiar su educación como tutor de los niños más pequeños del colegio. Excelente lingüista, Hahnemann también tenía gran interés en la botánica, la química y otras materias científicas, e ignorando las protestas de su padre, decidió estudiar medicina, primero en la Universidad de Leipzig y luego en Viena, donde agotó su capital y se vio obligado a trabajar, durante un tiempo, para el gobernador de Transilvania, hasta que acumuló suficiente dinero para continuar sus estudios. En 1779 se graduó en la Universidad de Erlangen, a los veinticuatro años de edad.

Estableció su consulta en el pueblo minero de Hettstedt,

pero pronto se dio cuenta de que no comulgaba con las bárbaras costumbres médicas de su época, las cuales no tenían compasión o comprensión del paciente. La medicina estaba plagada de superstición e ignorancia, y Hahnemann no tenía deseos de practicar sangrías, ya fuera por flebotomía o aplicación de sanguijuelas; administrar terribles purgas con eméticos y enemas, destinadas a eliminar las influencias productoras de enfermedad en el cuerpo, y la diversidad de mezclas de sustancias que, como el arsénico y el mercurio, en muchos casos ocasionaban graves envenenamientos. Algunos de estos compuestos contenían hasta cincuenta o sesenta ingredientes distintos, y Hahnemann concluyó que los efectos combinados de esa cantidad de sustancias eran imposibles de distinguir; esto le llevó a la conclusión de que las sangrías, los enemas y eméticos debilitaban aun más a los pacientes y, en ningún caso, ayudaban a la curación, por lo que realizó una campaña contra estas costumbres durante la mayor parte de su vida. Estaba tan decepcionado que renunció, algún tiempo, a la práctica de la medicina y se ganó el sustento, y el de su creciente familia, con trabajos de traducción al tiempo que continuaba con sus estudios en botánica y química.

En 1790, cuando trabajaba en una traducción, encontró el estímulo que necesitaba para replantear las técnicas de tratamiento en medicina. Mientras traducía un tratado del médico escocés William Cullen acerca del uso de la chinchona (quina) o corteza peruana en el tratamiento de la fiebre intermitente (malaria), le asombró la afirmación del autor de que los efectos terapéuticos de la planta se debían a sus cualidades tónicas, amargas y astringentes. Hahnemann no estuvo de acuerdo con su opinión y, como resultado de la experimentación personal con la chinchona, redescubrió el olvidado principio del tratamiento con similares.

Como era un erudito en el estudio de los clásicos, es posible que se haya percatado de que había tocado uno de los sistemas de Hipócrates, desarrollado muchos siglos antes. Hahnemann comenzó a experimentar con otros medicamentos utilizados en su época y, con ayuda de sus abundantes conocimientos en botánica, investigó los efectos de varias plantas medicinales, tanto en él mismo como en un pequeño círculo de amigos y discípulos. En el transcurso de más o menos veinte años, estableció las bases de la *materia medica* homeopática.

En 1796 publicó un artículo en el que declaraba que había tres maneras de enfocar el tratamiento de cualquier enfermedad:

• El primero era eliminar o destruir la causa de la enfermedad, de ser conocida --en otras palabras, medicina preventiva.
• El segundo era el tratamiento generalizado que utilizaba contrarios —es decir, el tratamiento paliativo que recurría a la administración de laxantes para el estreñimiento, que Hahnemann consideraba la solución equivocada.
• El tercero era el tratamiento con similares, que él afirmaba era la única alternativa segura, además de la prevención, para tratar las enfermedades.

También resaltó la importancia de una buena dieta, el aire fresco, mucho ejercicio y hábitos higiénicos como requisitos indispensables para una vida saludable --factores que eran ignorados casi por completo o desconocidos para la mayoría de sus colegas. La homeopatía cobró vida, oficialmente, en 1796 (aunque este nombre no apareció impreso hasta 1807) y en 1810, en Dresden, se publicó la primera edición de su *Organon of Rational Healing*; esta obra describía sus experiencias con el principio de semejanzas y expresaba sus ideas acerca de la enfermedad y su tratamiento. Durante su vida, vio imprimir cinco ediciones, y la sexta quedó terminada antes de que muriera, aunque fue publicada muchos años después.

Después de descubrir y desarrollar un sistema de

tratamiento lógico y eficaz, Hahnemann volvió a la actividad médica en 1805; insistía en que el tratamiento debía administrarse de la manera más cuidadosa posible y que debía ser rápido y duradero. También consideraba que los remedios debían utilizarse de manera aislada y no en mezclas, como era lo habitual. Hahnemann sabía que muchos de sus remedios eran muy venenosos en dosis crudas y, en consecuencia, desarrolló su sistema de diluciones seriadas y sucusión, al tiempo que experimentaba con diluciones sucesivas para lograr un efecto curativo sin producir los efectos colaterales tóxicos. Aunque partió de la administración de tinturas crudas, sin dilución, hacia el final de su vida disponía de potencias muy elevadas.

Hahnemann, con su oposición a la ignorancia y la barbarie de la medicina de su tiempo, creó muchos enemigos dentro de la profesión médica; también incurrió en la ira de los farmacéuticos, quienes temían quedarse sin trabajo una vez que fueran eliminadas sus complejas preparaciones. Por consiguiente, Hahnemann tuvo que mudarse con frecuencia cuando surgían las limitaciones a su práctica en un poblado tras otro, pero a pesar de esto impartió lecciones de homeopatía, durante algún tiempo, en la Universidad de Leipzig y reunió a un gran número de simpatizantes y patrocinadores influyentes, además de una considerable cantidad de alumnos capaces y brillantes. Después del descubrimiento del principio de similares Hahnemann recibió, durante el resto de su carrera, más pacientes de los que podía haber tratado el promedio de los médicos. Hacia el final de su larga vida, contrajo matrimonio por segunda vez; su nueva esposa era francesa y el científico pasó los últimos ocho años de su vida en París, donde continuó con su práctica hasta su muerte, en 1843, a la edad de ochenta y ocho años.

Para entonces, la homeopatía se había extendido a todas las regiones de Europa (excepto Noruega y Suecia), Inglaterra, Estados Unidos, México, Cuba y

Rusia, y poco después llegó a India y América del Sur. El doctor Frederick Foster Harvey Quinn, en 1832, llevó la homeopatía a Gran Bretaña donde, a pesar de la oposición de los médicos ortodoxos, pronto llegó a diversas partes del país. Hahnemann y su homeopatía contaban ya con suficiente prestigio a consecuencia del éxito que tuvo su tratamiento en la epidemia de tifus que asoló Europa a la zaga de la retirada de Napoleón de Moscú, en 1813. La homeopatía volvió a demostrar su superioridad sobre los métodos ortodoxos durante la gran epidemia de cólera que recorrió Europa en 1831; la tasa de muerte habitual era de más del 50% de los afectados por la enfermedad, pero con el tratamiento homeopático esa cifra se colocó entre 5 y 16%. Durante la epidemia de cólera de Londres, en 1854, la tasa de mortalidad en los hospitales ortodoxos londinenses fue de 53.2%, y la del hospital homeopático de Londres fue de apenas 16.4% –una diferencia notable.

Gracias a su gran eficacia en el tratamiento de las epidemias infecciosas que eran el flagelo de la época, la homeopatía se diseminó con rapidez. Sus delicadas técnicas y el énfasis que ponía en las medidas preventivas también resultaron atractivos a los pacientes, comparados con los bárbaros procedimientos del momento. La homeopatía tuvo grandes logros, en particular en los Estados Unidos, donde el alumno de Hahnemann, el doctor Constantine Hering, estableció su residencia. Este médico había descubierto el poder terapéutico del *lachesis*, el veneno mortal de la serpiente Surukuku o laquesida que habita en los bosques del Amazonas, y su obra, *Guiding Symptoms*, escrita en 1879, todavía conserva su actualidad. Otros famosos practicantes de la homeopatía en los Estados Unidos incluyen a Allen, Nash, Boenninghausen y Boericke –todos acrecentaron el caudal de conocimientos homeopáticos y sus trabajos todavía sirven de consulta en las escuelas homeopáticas modernas.

El doctor Richard Hughes, de Gran Bretaña, introdujo

100

ciertas modificaciones a las enseñanzas originales de Hahnemann, para popularizar la homeopatía y facilitar su aplicación. Hughes proponía el uso de potencias bajas indicadas sobre la base de los hallazgos patológicos, en vez del cuadro sintomático general del paciente; dichas potencias bajas solían administrarse durante periodos prolongados y, a menudo, en mezclas de distintos remedios.

El médico norteamericano James Tyler Kent se mostró en desacuerdo con estas modificaciones, pues consideraba que muchas de las técnicas que Hahnemann reprobó en vida empezaban a influir en la práctica de la homeopatía apenas cien años después de su redescubrimiento. Kent insistía en el uso de un remedio único, seleccionado a partir de la totalidad de los síntomas del paciente, y evitar su repetición en tanto se conservara la mejoría; también afirmó que aunque las potencias bajas tenían utilidad en padecimientos agudos, los estados crónicos requerían de potencias mayores para producir buenos resultados, si era posible encontrar el remedio más similar. Kent dictó muchas conferencias sobre la *materia medica*, las cuales tienen gran aplicación en la actualidad, y realizó la clasificación sistemática de todos los signos y síntomas que provocan los remedios. Esta obra magistral, conocida como *Repertorio de la materia medica homeopática* de Kent (Kent's *Repertory of the Homoeopathic Materia Medica*), es indispensable para todos los practicantes de la homeopatía. Boenninghausen había escrito un repertorio anterior cuyos títulos contenían muchos remedios más de los que aparecen en la obra de Kent, que es más fácil de consultar.

Debido a la insistencia de Kent de apegarse a los principios originales de Hahnemann, surgieron dos escuelas de homeopatía que se tenían considerable animadversión. Una era la escuela clásica kentiana, que proponía el uso de dosis únicas de alta potencia, y la escuela de Hughes, que defendía la administración frecuente de potencias bajas. En la actualidad, muchos homeópatas combinan las dos escuelas de tratamiento y utilizan dosis repetidas de baja potencia para la prescripción patológica: por ejemplo, rustoxicodendro 6X, dos veces al día, durante un periodo de varias semanas para el tratamiento de artritis cuando el padecimiento se agrava con el clima húmedo y el descanso; y al mismo tiempo, administrar una dosis única de alta potencia indicada sobre la base de los hallazgos constitucionales —es decir, la totalidad del complejo de síntomas del enfermo.

Hahnemann se anticipó a su época cuando, además de utilizar la homeopatía, propuso la aplicación de la medicina preventiva; estas dos valiosas técnicas terapéuticas, además de su rechazo del uso de sangrías, purgas y polifarmacia que debilitaban al paciente en lugar de ayudarlo, dieron a la homeopatía una ventaja sobre la medicina ortodoxa durante la mayor parte del siglo XIX. Los pacientes agradecían ese enfoque más compasivo y los médicos ortodoxos llegaron a percatarse del daño que ocasionaban sus prácticas tradicionales y, poco a poco, empezaron a abandonarlas al mismo tiempo que adoptaban medidas preventivas más lógicas. Esto, aunado a la decadencia de las grandes epidemias infecciosas que dieron el éxito inicial a la homeopatía, eliminaron en gran medida la separación entre las escuelas ortodoxa y homeopática, y lesionaron mucho la popularidad de la última. Además, el descubrimiento de Lister sobre la importancia de la antisepsia en cirugía permitió que la especialidad, que hasta ese momento era considerada una técnica peligrosa, se volviera menos riesgosa y con el advenimiento de la anestesia, de pronto la cirugía empezó a disfrutar de gran popularidad como la panacea para muchas enfermedades. Por último, el descubrimiento de la terapia de reemplazo con hormonas y vitaminas y la introducción de los antibióticos, permitieron que el tratamiento ortodoxo empezara a realizar grandes avances. Con la creciente oferta de medicamentos modernos desarrollados en los últimos cuarenta años, el concepto de tratamiento con contrarios ha vuelto a desplazar al tratamiento con similares, que nunca ha sido del todo aceptado por la profesión médica.

El enorme logro de la medicina convencional durante el presente siglo ha justificado la confianza depositada en el tratamiento con contrarios; de hecho, parecía que muy pronto encontrarían un tratamiento para cada enfermedad. Las grandes epidemias infecciosas respondieron a la combinación de mejores condiciones sanitarias e higiénicas, programas de vacunación y antibióticos; los conocimientos sobre vitaminas y carencias hormonales, y sus terapias de reemplazo, dieron nueva esperanza a los enfermos de diabetes, anemia perniciosa y muchos otros trastornos; el mundo médico recibió a la cortisona como un medicamento maravilloso para multitud de problemas cutáneos e inflamatorios. Había optimismo por doquier.

¿Qué ocurrió con todas esas hermosas promesas? ¿En dónde está la excelente salud a la que todos podíamos aspirar? En poco tiempo se descubrió que los antibióticos tenían efectos indeseables; pero no sólo eso. Algunos acupunturistas han observado que no pueden tratar a los pacientes que han recibido prolongados tratamientos con antibióticos hasta varios meses después de haberlo terminado. Los antibióticos han tenido un efecto adverso en los mecanismos de respuesta del organismo, tal vez en algún aspecto del sistema inmunitario; y si nuestros mecanismos de defensa se encuentran dañados, ¿a qué peligros adicionales nos encontramos expuestos? Primero, la alarma se debió a las distintas formas de virus de la hepatitis; hoy tenemos la enfermedad del legionario y el SIDA. Al parecer hemos conquistado a las enfermedades infecciosas tradicionales sólo para ser blanco de otras nuevas.

Hace casi doscientos años, Hahnemann dijo que el tratamiento de las enfermedades crónicas era el mayor desafío de la medicina, y pasó muchos años de su vida ocupado con este problema. El aspecto más notable de las estadísticas de morbilidad del presente siglo es el enorme incremento, en particular desde la Segunda Guerra Mundial, que se ha registrado en las enfermedades crónicas, las cuales son cada vez más difíciles de tratar, a pesar de la diversidad de medicamentos disponibles en la actualidad. ¿Qué hicimos mal?

Una explicación sencilla es que al erradicar las fiebres infecciosas, la gente vive más y, por ello, alcanzan edades en las que desarrollan enfermedades crónicas. Se dice que en el pasado la gente moría antes de que tuviera tiempo para presentar estos padecimientos, pero ¿acaso es ésta la explicación o hay otros factores en juego?

Volvamos a Hahnemann, quien insistió en el uso de la medicina preventiva y en ella incluyó un estilo de vida sano. Hoy disponemos de buenos controles de higiene; sin embargo, la vida actual, eminentemente sedentaria, ofrece pocas cantidades de aire fresco y ejercicio. No obstante, en lo que toca a la dieta, es posible que nos encontremos en peores condiciones que la población en tiempos de Hahnemann. Desde fines de la última guerra, los alimentos son sometidos a un creciente procesamiento industrial con la inclusión de aditivos químicos que impiden el deterioro del aspecto, sabor, textura y color concomitantes al procesamiento de los alimentos. Esto, aunado al uso generalizado de biocidas (herbicidas, plaguicidas y fungicidas) en las cosechas y los métodos agrícolas aplicados a la cría de ganado (con la frecuente administración de antibióticos, hormonas y otras sustancias), ha reducido la calidad de los alimentos que ingerimos y, tal vez, vuelto peligroso el consumo de algunos productos. La agresión química que recibe el cuerpo con aditivos químicos innecesarios, indeseables y posiblemente tóxicos, tal vez sea un factor importante en el incremento de las enfermedades crónicas. Es interesante notar que el aumento de esta clase de padecimientos es paralelo al creciente uso de sustancias químicas en los alimentos.

Sin embargo, los cambios en la calidad de nuestra

comida no son lo único que está mal. Como vimos en el análisis de los fundamentos de la homeopatía, el tratamiento con similares pretende aumentar la resistencia del cuerpo contra las enfermedades y su método de curación es del interior hacia afuera. En el tratamiento de las enfermedades crónicas, el paciente a menudo experimenta una reaparición de antiguos síntomas, y esto puede resultar inquietante durante algún tiempo. Por otra parte, el tratamiento con contrarios opera mediante el alivio y la eliminación de los síntomas; de hecho, muchos medicamentos indican esta función en sus nombres —por ejemplo, antibióticos, antidepresivos, antiespasmódicos, antiinflamatorios, antiácidos, etcétera. Pero, ¿qué sucede al suprimir los síntomas? ¿Acaso esto no se opone al tratamiento con similares y hace que el desequilibrio, la enfermedad, profundice en el sistema? El uso de cremas esteroides tópicas, en el tratamiento del eczema, sin duda realiza curas milagrosas en la piel, pero después el paciente puede presentar asma, pues asma y eczema suelen coexistir y la piel empeora cuando mejora el cuadro asmático. Cada vez es mayor la sospecha de que lo mismo ocurre con otros padecimientos y que la eliminación de los síntomas con terapia paliativa provoca el desarrollo, aun años después, de padecimientos más graves. El constante crecimiento de la industria farmacéutica también ha sido paralelo al incremento en la frecuencia de presentación de enfermedades crónicas.

Además de los efectos colaterales de los medicamentos farmacéuticos, que cada día se observan con mayor frecuencia, es muy posible que esa clase de tratamientos tengan un efecto menos evidente en el desequilibrio ulterior de los mecanismos del cuerpo, lo que aumentaría la carga de la enfermedad crónica. Por consiguiente, es posible que los antibióticos no sean los únicos fármacos que tengan desventajas a largo plazo, sino la mayor parte de los medicamentos farmacéuticos sintéticos de que depende la terapéutica moderna. Es inquietante pensar que todas estas sustancias, por sí solas, estén aumentando la tasa de morbilidad crónica. Por otra parte, el hecho de que las enfermedades sigan en aumento es suficiente para demostrar que estos medicamentos no sirven para solucionar los problemas.

Quizá el mayor número de desgracias en la medicina moderna se encuentra en el renglón de los antibióticos, pues uno tras otro caen víctimas de la asombrosa capacidad de adaptación de las bacterias, así que es necesario crear nuevas sustancias. Esto ha provocado gran consternación, porque existe el temor de que nos quedemos sin antibióticos útiles y esto nos deje indefensos ante el avasallador ataque de los microorganismos resistentes.

Al analizar los logros del presente siglo, no podemos evitar la sensación de que a pesar de toda la investigación, los nuevos medicamentos y la especialización de las técnicas quirúrgicas, sin mencionar la introducción de los servicios médicos en la mayor parte de las naciones occidentales, la salud de nuestra sociedad ha empeorado en vez de mejorar. Quizá ya es tiempo de preguntarnos si el concepto del tratamiento con contrarios, que ha dominado el escenario durante siglos, no es en realidad el camino falso que anunció Hahnemann. ¿No es hora de realizar un nuevo análisis, sin prejuicios, del concepto del tratamiento con similares?

Este enfoque terapéutico, que tuvo fuerza durante el siglo XIX y casi desapareció en el XX, todavía espera una oportunidad; sus tratamientos han pasado la prueba del tiempo y hoy son tan eficaces como lo fueron hace doscientos años. Los remedios de la *materia medica* homeopática, a diferencia de sus contrapartes ortodoxas, no han sido abandonados debido a la pérdida de su eficacia o su extrema toxicidad. La tendencia de la medicina vuelve al enfoque más amable, seguro y eficaz para el tratamiento del malestar y la enfermedad.

A pesar de su decadente popularidad, la homeopatía no ha permanecido inmóvil durante este siglo; varios remedios han quedado incluidos dentro de la *materia medica*, incluyendo las nosodas intestinales que descubriera el doctor Edward Bach y ampliadas, posteriormente, por el doctor John Paterson. Estas nosodas (remedios preparados a partir de flora intestinal anormal) se encuentran en la misma categoría de otras nosodas como variolinum, morbillinum, pertussin y diphtherinum, preparadas a partir de viruela, sarampión, tos ferina y difteria, respectivamente. Una nosoda puede prepararse a partir de cualquier enfermedad infecciosa y administrarse, de manera similar a la isopatía, para contrarrestar los efectos de la enfermedad específica. Este aspecto de la homeopatía es uno de los más parecidos a las vacunas que utiliza la técnica ortodoxa que, en realidad, son una aplicación homeopática.

Hahnemann y sus seguidores nos dejaron un legado de varios cientos de remedios, y esta cantidad ha continuado en aumento hasta que hoy disponemos de entre dos y tres mil remedios en la *materia medica* homeopática, todos con un cuadro específico de remedio, algunos estudiados de manera más exhaustiva que otros.

Por consiguiente, el homeópata enfrenta el problema de aprender estos cuadros, algunos muy similares entre sí, y conocerlos lo suficiente para administrarle el remedio correcto al paciente. Esto tiene especial importancia en el tratamiento de enfermedades crónicas. Dos intentos de simplificar esta labor fueron la obra inicial de Boenninghausen y el trabajo posterior de Kent, quienes escribieron sus repertorios o conjuntos de signos y síntomas comunes a cada remedio. El objetivo era reunir tantas características sobresalientes del paciente como fuera posible, para luego compararlas con el remedio, o los remedios, que provocaran el mismo cuadro. En los últimos años, este método ha sido computarizado para ayudar en el procedimiento de selección del remedio y hoy hay varios programas para computadoras en el mercado.

Otro método para resolver el problema del tratamiento crónico fue desarrollado por Vithoulkas en Grecia, Ortega en México, y Masi y Paschero en Argentina —consiste en encontrar la esencia de los remedios, el hilo escarlata o la idea que se repite en todos los aspectos del cuadro de remedio. Dicha esencia o idea, basada en una evaluación psicológica, se correlaciona después con la esencia del paciente en cuestión. Sin embargo, Ortega y Paschero consideran que todas las enfermedades se deben a causas ambientales y pasan por alto los factores hereditarios presentes en la causa de la enfermedad. Paschero y Masi consideran que hay trastornos de la esfera espiritual subyacentes a todos los estados crónicos, pero mientras Ortega dice que es posible que se tengan que utilizar distintos remedios antes de obtener la curación del paciente, tratando cada capa conforme se presenta, como si peláramos una cebolla; tanto Masi como Paschero defienden el uso de un remedio para cada paciente e insisten en que el paciente no cambie el remedio crónico durante el resto de su vida.

Empero, ésta no ha sido la experiencia clínica de la mayoría de los homeópatas y algunos enfoques, como la medicina psiónica y la medicina reguladora bioelectrónica proponen el uso de varios remedios en un caso crónico. Estos dos enfoques recientes serán analizados con mayor detalle en el último capítulo.

Por consiguiente, resulta obvio que hay distintas formas de resolver el problema de las enfermedades crónicas, y que será necesario realizar más investigaciones antes de definir un criterio. Ninguno de los conceptos más recientes invalida los descubrimientos originales ni las enseñanzas de Hahnemann, y los enfoques europeos, incluida la escuela de Vithoulkas, se apegan en gran medida a los lineamientos dictados por Hahnemann.

7. ¿Cómo funciona la homeopatía?

Por su naturaleza este capítulo, que trata de los conceptos actuales sobre el funcionamiento de la homeopatía, y el capítulo 9, que analiza algunas de las pruebas de su funcionamiento, inevitablemente son algo científicos y técnicos. Si usted, lector, no tiene inclinaciones científicas, tal vez no le resulten muy interesantes y prefiera pasarlos por alto. Estos capítulos están dirigidos a quienes gustan de estudiar las causas y explicaciones de las cosas, o los que necesitan conocer todos los aspectos de un tema antes de tomarlo en consideración. La omisión de estos capítulos no afectará su apreciación general de la homeopatía.

En las potencias mayores de 12C, se vuelve cada vez más difícil que existan rastros de, incluso, una molécula de la sustancia original de la dilución; este hecho, desconocido cuando Hahnemann descubrió los efectos de la potenciación, ha sido el principal obstáculo para la aceptación de la homeopatía entre los médicos ortodoxos. Si no hay rastros de la sustancia original en la preparación, ¿cómo puede tener algún efecto terapéutico?

Desde el descubrimiento de Avogadro, a principios del siglo XIX, este concepto se ha convertido, asimismo, en un grave problema para los médicos homeópatas. Según las leyes simples de la dilución, una solución superior a la potencia 12C no debe tener actividad alguna y, no obstante, se ha demostrado en la clínica que tienen efecto y que, además, las potencias superiores producen efectos más intensos que las potencias más bajas. ¿Cómo es posible?

Todavía no sabemos qué hay en una potencia homeopática para que ejerza un efecto curativo y la forma como los remedios homeopáticos actúan en el cuerpo es tan desconocida como los mecanismos de acción de muchos de los medicamentos ortodoxos. Al descubrir la acción de un fármaco, se observa también que ejerce un efecto en los procesos metabólicos del organismo —es decir, nuestras funciones químicas internas—, el cual inhibe o estimula la función de las enzimas o afecta sus mecanismos de control. Por ello, no hay razón para suponer que los remedios homeopáticos funcionan de otra manera. Si afectan la función del cuerpo, también deben actuar en el nivel bioquímico, metabólico.

Gran parte de este capítulo está basado en hipótesis planteadas a partir de hechos conocidos y pretende reunir la información de diversos campos para construir, a partir de ella, una teoría sobre el mecanismo de acción de los remedios homeopáticos. Las ideas expresadas pueden ser equivocadas o no, mas esto no tiene importancia porque el objetivo de las hipótesis es estimular la formación de nuevas ideas y la investigación necesaria para confirmarlas o refutarlas. Si logran este objetivo, entonces han sido de utilidad, sin importar que, en sí mismas, sean correctas o no.

Para tener una idea de la posible solución al problema de la ausencia de la sustancia original en las potencias superiores a 12C, debemos repasar algunos conceptos básicos de química. Las reacciones químicas y los compuestos que producen dependen, en última instancia, de la distribución de los electrones en los átomos que participan; las reacciones tienen la finalidad de lograr una configuración de electrones estable en las órbitas de los átomos participantes (véase la figura 4, página 62). Los electrones son una clase de partícula subatómica que se menciona en el capítulo 4, y son constituyentes de la electricidad. De este modo, las moléculas adquieren una forma específica, la cual tiene gran importancia para las complejas moléculas orgánicas que componen los sistemas vivos. La estereoespecificidad, o especificidad de forma, es la cualidad distintiva de la bioquímica y aun pequeños cambios en la forma de las moléculas pueden tener profundos efectos en el cuerpo.

Por ejemplo, el material genético está formado de una molécula compleja conocida como ADN (ácido desoxirribonucleico) el cual, a su vez, está compuesto de largas cadenas de moléculas de azúcar y fosfato adheridas entre sí por moléculas que contienen nitrógeno, llamadas bases nucleótidas. Existen cuatro tipos de bases, y la distribución específica de ellas forma los genes que transmiten las características heredadas de una generación a otra. ¡La totalidad de la compleja información que pasa de una a otra generación está codificada en la distribución específica de sólo cuatro moléculas!

Los genes codifican la información para la formación de proteína, que es el constituyente primordial de nuestros tejidos y enzimas. Con sólo un error de base en una secuencia específica de ADN, puede ocurrir un error en la proteína que forma ese gen. La fenilcetonuria es un ejemplo de este problema –uno de los llamados "errores congénitos del metabolismo". Se trata de un trastorno bioquímico hereditario para el cual se realizan pruebas en todos los recién nacidos; en esta enfermedad un par de bases afectado en el ADN del gen que codifica la formación de una enzima particular hace que ésta se vuelva inoperante y entonces el cuerpo no puede producir melanina, el pigmento oscuro que da color pardo a los ojos y oscuro al cabello, y que se forma como respuesta a la luz del sol. Por consiguiente, este trastorno da origen a niños de cabello claro y ojos azules, lo que, por sí solo, no es inconveniente alguno. El síntoma más grave de la fenilcetonuria es el desarrollo de retraso mental, que a veces se acompaña de convulsiones, así como la formación de productos tóxicos en el organismo cuando éste trata de superar el bloqueo. Todo esto se debe a un error mínimo en una molécula compleja estereoespecífica. En el caso de la fenilcetonuria, el tratamiento es evitar que el niño ingiera fenilalanina, para así superar la obstrucción metabólica, y por esta razón es importante diagnosticar el padecimiento tan pronto como sea posible. Éste es sólo un ejemplo de los muchos que podríamos citar para resaltar la importancia de la forma en los sistemas biológicos.

El almacenamiento de energía también tiene especificidad de forma. Los sistemas vivos almacenan energía en las células como enlaces de fosfato específicos de alta energía unidos a moléculas similares a las que sirven para construir los genes.

Las potencias homeopáticas se encuentran diluidas en mezclas de agua/alcohol —el agua sirve de solvente (la sustancia que realiza la solución) y el alcohol actúa como conservador. El agua es el líquido más anómalo pues posee muchas características extrañas e inesperadas.[1] Es la única sustancia que, líquida en condiciones normales, se expande al solidificarse o ser sometida a congelación —propiedad que sólo comparten el diamante, la silicona y el germanio, tres sólidos con estructuras similares al hielo; las sustancias restantes sufren una contracción cuando se solidifican. Asimismo, el agua puede formar diversas clases de cristales. Al congelarse a distintas presiones atmosféricas, hay cambios en los cristales de hielo. Los hielos de alta presión tienen patrones cristalinos específicos que varían con la presión utilizada para formarlos, y también son distintos de los patrones de hielo formados a una presión atmosférica normal. De hecho, el agua puede producir hasta nueve tipos distintos de cristales de hielo. Además, el agua tiene puntos de fusión y ebullición más altos de lo que cabría esperar en su fórmula, y adquiere mayor liquidez al aumentar la temperatura. De hecho, la fórmula del agua sugiere que se convierta en gas a temperaturas normales, pero permanece como líquido. Estas propiedades anormales del agua pueden tener considerable importancia en la preparación de los remedios homeopáticos.

En la actualidad, se conceptualiza la estructura del agua como una trama desordenada de moléculas unidas entre sí por puentes de hidrógeno (figura 7),[2,3] algunas de las cuales se encuentran en tensión o, incluso, rotos, pero con una estructura general semejante a la que observamos en el hielo común, también conocido como hielo hexagonal para diferenciarlo de su forma variante, el hielo cúbico, que se forma a temperaturas más bajas. Estas dos clases de hielo se producen en una presión atmosférica normal.

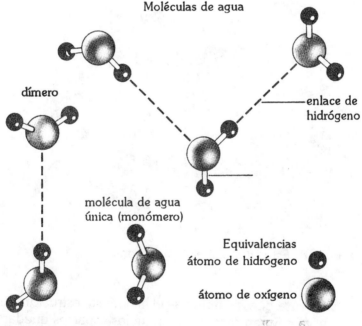

Moléculas de agua

dímero

enlace de hidrógeno

molécula de agua única (monómero)

Equivalencias
átomo de hidrógeno

átomo de oxígeno

Figura 7. Moléculas de agua.

En el hielo hexagonal, las moléculas de agua se encuentran distribuidas de tal manera que forman un enrejado abierto, el cual produce capas rugosas de moléculas de agua unidas por enlaces de hidrógeno (figura 8). Esta estructura es un medio poco eficaz para

113

ocupar espacio, debido a que contiene una trama regular de espacios vacíos que se extienden en paralelo, y en ángulo recto, en las capas de enrejado rugoso. Esta estructura abierta es lo que hace que el hielo sea menos pesado que el agua, y explica el hecho de que flote en el líquido.[4]

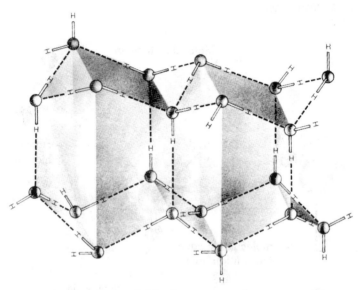

Figura 8. Estructura del hielo hexagonal.

Se piensa que, al derretirse el hielo, esta estructura se conserva en gran medida, aunque los espacios quedan parcialmente ocupados, tal vez por moléculas de agua sin enlaces lo bastante pequeñas como para colocarse en el interior, o reducidas de tamaño mediante flexión y reorganización de los enlaces de hidrógeno. Se piensa que, al calentarse, la estructura del agua se vuelve más desorganizada, lo que explica su mayor fluidez a temperaturas elevadas.

Por consiguiente, el agua no es un simple conjunto de moléculas individuales, sino una compleja y desorganizada trama de moléculas que permanecen unidas entre sí gracias a los enlaces de hidrógeno, y que forma grandes estructuras tridimensionales que sufren cambios y reorganizaciones constantes. Es por ello que hay polímeros de agua en el solvente utilizado para preparar las potencias, pero se encuentran dispuestos al azar y de forma desordenada.

Se sabe que cuando una sustancia no polar —es decir, una sustancia que no se ioniza como las sales, los ácidos y los álcalis, y produce elementos positivos y negativos— se disuelve en agua, o en una mezcla de agua/alcohol, los polímeros de agua rodean las moléculas del material disuelto y adoptan una disposición conocida como celda o jaula de solvatación, la cual dependerá de la forma del material original aunque, al mismo tiempo, ejerce una tensión mínima en los enlaces de hidrógeno que unen a las moléculas de agua (figura 9). De este modo, los polímeros de agua están sometidos a un patrón determinado por la sustancia que deben disolver, o soluto.

La mayor parte de los remedios homeopáticos son sustancias no polares en su forma cruda o no potenciada y es necesario disolverlos en el solvente de agua/alcohol. Luego se introduce energía en el sistema con el procedimiento de la sucusión y esta inyección de energía permite estabilizar los polímeros de agua estereoespecíficos que se forman. Al aumentar la cantidad de energía en cada etapa de dilución, las cadenas de polímeros de agua se vuelven más largas y, en teoría, sufren una división en algún momento para formar varias cadenas de polímeros de agua más cortas. Al diluir el soluto inicial de manera sucesiva, los polímeros de agua estereoespecíficos que lo rodean son más numerosos y pasan la información codificada en la forma a las potencias sucesivas, mucho después que la sustancia original ha quedado diluida. La información del remedio crudo se transmite así al líquido diluyente mediante la energía que comunica el procedimiento de sucusión.

115

Esta situación es semejante a la forma como los genes, con su estereoespecificidad, transmiten las características hereditarias de una generación a otra. La relación entre la potencia homeopática y la sustancia original puede ser parecida a la que hay entre el antígeno y su anticuerpo específico: los dos son sistemas moleculares complementarios y estereoespecíficos.

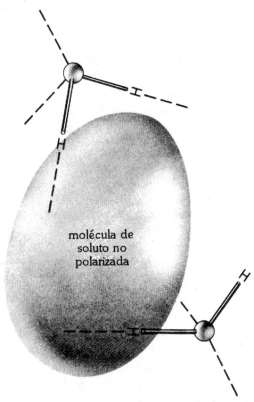

Figura 9. Moléculas de agua que rodean al soluto para formar una celda o jaula de solvatación.

Aquí sería aconsejable mencionar un modelo presentado durante unas conferencias sobre genética realizadas en Londres, hace algunos años. Dicho modelo consistía de varios bloques de madera que representaban secciones aisladas del material genético, el ADN, y cada uno tenía secciones articuladas en los dos extremos. Cada bloque parecía completo por sí solo y todos eran idénticos entre sí. Colocaron los bloques en una bandeja apenas lo bastante amplia para recibirlos a todos y ésta fue sometida a una serie de fuertes golpes, muy parecidos al método de sucusión. Después de un rato, los bloques empezaron a juntarse en grupos de dos, tres y demás, hasta que todos estuvieron enlazados como una "molécula" de cadena larga. Este modelo fue diseñado para demostrar las propiedades del ADN genético, mas su semejanza con las teorías modernas sobre la producción de remedios homeopáticos es asombrosa.

Como la forma y la energía son intercambiables en los sistemas biológicos, y como todas las reacciones biológicas son estereoespecíficas, es lógico suponer que los polímeros de agua, con especificidad de forma, son la base de la actividad de las potencias homeopáticas.

Se ha demostrado que una potencia de un remedio homeopático tiene mayor viscosidad que la dilución directa, sin sucusión, del mismo remedio repetida el mismo número de veces, lo que sugiere que hay grandes moléculas presentes en la potencia y que no es posible encontrar en la dilución directa.[5] Los estudios espectroscópicos infrarrojos[6] y las mediciones con resonancia magnética nuclear[7] de las soluciones potenciadas, comparados con los de diluciones directas, también señalan la presencia de moléculas de cadena larga, aunque aún es necesario confirmar estos resultados.

En este sentido, es interesante notar que las temperaturas elevadas, la luz del sol y ciertas formas de radiación destruyen las potencias homeopáticas, y que estos agentes también destruyen a los polímeros de cadena larga. Tomemos como ejemplo el efecto del calor y la luz solar en los plásticos, que también son polímeros de cadena larga.

Las teorías modernas sobre la estructura del agua están concentradas en los modelos simulados en computadora, a partir de los cuales se deriva un concepto similar al del modelo de ADN analizado con anterioridad: el concepto de autómatas celulares.[8] Un autómata celular es un modelo matemático que, como el ADN, tiene la capacidad de autorreplicación, y se dice que el principio del autómata celular subyace a numerosos fenómenos observados en el mundo natural, como los complejos patrones de color de los caparazones de algunos moluscos, los patrones de la piel de algunos mamíferos y los patrones de los vórtices del agua. En el último caso, se explican como formaciones de poliagua que tienen la capacidad para imprimir su patrón en los polímeros de agua circundantes; en cualquier cantidad de agua, la presencia de un autómata celular así sería suficiente para dejar un patrón en la totalidad de la masa acuosa. Por ende, las potencias homeopáticas, que son polímeros de agua estructurados, tienen una mayor capacidad de impresión que los polímeros de agua desorganizados que se encuentran en los líquidos corporales; así pues, se visualizan como autómatas celulares en potencia que son capaces de imprimir sus patrones en los líquidos corporales circundantes. Esto es parecido a la reprogramación de una computadora, donde el programa equivaldría al remedio homeopático. Si esto es verdad, entonces podríamos explicar por qué una dosis mínima de un remedio puede realizar un cambio importante en el estado clínico de los pacientes.

Algunos médicos consideran que, en el nivel bioquímico, los remedios homeopáticos son la clave de los ciclos metabólicos –es decir, las reacciones bioquímicas básicas del organismo.

El cuerpo se encuentra en un estado constante de actividad química; los alimentos que ingerimos se procesan mediante una serie de enzimas que tenemos en la boca, el estómago e intestino delgado, separándolos en sencillos componentes moleculares que pueden asimilarse al torrente sanguíneo. Una vez en el cuerpo, estas moléculas sirven para reparar compuestos celulares dañados o desgastados, para crear compuestos de reserva de energía o proporcionar energía inmediata para activar células, tejidos y la totalidad del organismo. Estas transformaciones se llevan a cabo con reacciones escalonadas, cada una de las cuales está mediada por una enzima específica. Las enzimas son proteínas especializadas que permiten que el cuerpo, a temperatura corporal y presión atmosférica normales, realice todas las complejas reacciones que requerirían de temperaturas y presiones atmosféricas mayores, si el hombre tuviera la capacidad de reproducirlas experimentalmente. Por esta razón, las enzimas son esenciales para el funcionamiento adecuado y armónico del organismo. Las obstrucciones a la función enzimática, por carencia o ausencia de alguna enzima (como en la fenilcetonuria), pueden ocasionar graves alteraciones en las vías metabólicas del cuerpo. Un pequeño grado de insuficiencia enzimática puede afectar otras vías metabólicas que dependen, para su funcionamiento, del producto de la vía defectuosa o si ocurre una inhibición por acumulación de sustancias antes de la obstrucción.

Cada día descubrimos más sobre el complejo sistema de vías metabólicas integradas que operan en el organismo —por ejemplo, el reciente descubrimiento del sistema de prostaglandinas—, pero aún falta mucho por conocer.

Los diversos componentes del sistema de prostaglandinas aparecen de manera transitoria, y en cantidades minúsculas, en todos los tejidos del cuerpo; este sistema tiene relaciones con muchos otros aspectos del metabolismo corporal, desde el sistema hormonal hasta el inmunitario, la reparación de tejidos y el transporte de sustancias a través de las membranas celulares. De hecho, es posible que los componentes del sistema de prostaglandinas participen en todos los aspectos de la integración y armonización de los procesos orgánicos.

Un ejemplo del alcance de los efectos de una alteración en la síntesis o control de las prostaglandinas es la enfermedad conocida como lupus eritematoso sistémico, LES. Éste es un padecimiento del grupo de enfermedades llamadas autoinmunes, en las cuales el cuerpo produce anticuerpos contra sus propios tejidos y los destruye. Los síntomas de la enfermedad incluyen fiebre y cambios inflamatorios en los tejidos conectivo y fibroso del cuerpo, mayor producción de tejido fibroso, calvicie, sensibilidad exagerada a la luz solar, insuficiencia renal, hipertensión arterial, afecciones cardiacas, mayor riesgo de abortos, defectos en el sistema inmunitario, manifestaciones psicóticas y problemas neurológicos semejantes a la esclerosis múltiple. La enfermedad puede afectar casi cualquier sistema del cuerpo y, no obstante, hay pruebas de que puede ser consecuencia de un defecto genético único, o alteraciones en un número limitado de genes. Hay suficientes pruebas[9] de que las multitudinarias manifestaciones del LES pueden ser consecuencia de carencias de dos prostaglandinas y excesiva producción de otras, lo que podría deberse a uno o dos defectos inherentes a la vía de las prostaglandinas, o a un defecto básico único.

Esa clase de consecuencias generalizadas son muy parecidas a los cuadros medicamentosos de muchos remedios homeopáticos, los cuales se consideran las llaves para liberar diversas obstrucciones metabólicas. Si esa diversidad de síntomas puede ser resultado de un defecto único, o uno o dos defectos relacionados, es muy posible que un remedio homeopático, que actúa para eliminar el bloqueo, tenga efectos de la misma intensidad; por supuesto, esto ha sido confirmado en la práctica. Como hay cientos, o tal vez miles, de enzimas en el organismo, el número de obstrucciones metabólicas posibles es muy grande —lo suficiente para dar cabida a todos los remedios de la *materia medica* homeopática. De hecho, las observaciones de investigaciones recientes

120

sugieren que puede haber alteraciones en el metabolismo de las prostaglandinas como trasfondo de la mayor parte de las enfermedades degenerativas crónicas –defectos en enzimas específicas que ocasionan los distintos aspectos de la enfermedad crónica. Por ende, los estudios realizados con remedios homeopáticos con respecto del metabolismo de las prostaglandinas podrían ofrecer resultados interesantes y útiles.

Los remedios de la *materia medica* homeopática se derivan de los distintos reinos de la naturaleza –mineral, vegetal y animal. Las células y tejidos de todos los seres vivos, para su adecuado funcionamiento, dependen de la presencia de diversos elementos y radicales minerales –en particular sodio, potasio, calcio, magnesio, manganeso, cobre, hierro, cobalto, cinc, fósforo, azufre y cloro. Sin estos compuestos, no podríamos vivir; de hecho, es posible que todos los elementos que encontramos en la corteza terrestre se hallen presentes en nuestros organismos, aunque sea en cantidades infinitesimales.

En un capítulo anterior describimos algunas de las complejas relaciones que existen entre las distintas especies y reinos de la naturaleza. La conducta individual, en particular entre los insectos, está regulada por moléculas conocidas como feromonas, que tal vez sean análogas de nuestras prostaglandinas y hormonas; dichas moléculas se encuentran en el aire en cantidades mínimas, pero controlan el comportamiento de especies determinadas de insectos que se encuentran a distancias muy grandes.

Muchas vías metabólicas básicas tienen asombrosa semejanza entre las especies bacteriana, vegetal y animal. Se ha observado que todo proceso metabólico, cuanto más fundamental y básico es para la vida, sufre menos cambios importantes en la escala evolutiva; por ejemplo, tenemos el caso de las semejanzas en el material genético. Las formas más evolucionadas poseen un mayor número de genes que controlan mayor número de procesos, pero aun el material genético de los virus y las bacterias es parecido, en algunas partes, al nuestro. La hemoglobina, el pigmento que transporta oxígeno en la sangre, presenta pequeñas variaciones entre especies, pero es, en esencia, muy parecido en toda la escala desde el pez hasta el hombre; en las plantas existe su análogo, la clorofila, que cataliza la división de la molécula de agua y la producción de oxígeno. Es interesante notar que la clorofila es parecida a la vitamina B_{12} que, así como otras vitaminas y minerales, es fundamental para el adecuado funcionamiento de las células que contienen la hemoglobina, nuestros glóbulos rojos. El proceso de glicólisis, que es la primera etapa en el aprovechamiento de glucosa para la producción de energía, es parecido en las bacterias y en nuestros músculos, y muchas sustancias de origen vegetal tienen profundos efectos farmacológicos en células y tejidos animales.

Podríamos decir que la naturaleza ha sido muy parca, a pesar de la aparente diversidad de formas naturales. Así como toda la información genética se encuentra codificada en apenas cuatro moléculas y todas las proteínas existentes se derivan de sólo veinte aminoácidos, los sistemas bioquímicos eficaces tienden a preservarse, una vez establecidos. Por tanto, hay semejanzas y correspondencias metabólicas en todas las formas de vida. La homeopatía, con sus remedios derivados de los reinos mineral, vegetal y animal, bien podría contener, en su *materia medica*, las llaves estereoespecíficas para liberar muchas obstrucciones que surgen en nuestro funcionamiento interno –nuestros procesos metabólicos.

Las obstrucciones metabólicas ocurren por diversas causas:

• Primero, puede haber defectos en una enzima, ya sea en su cantidad o función, lo que ocasiona una obstrucción parcial o total en un punto específico de la vía metabólica.
• Segundo, las obstrucciones pueden deberse a la carencia

de un cofactor enzimático —es decir, carencias de diversas vitaminas o minerales.

• Tercero, las obstrucciones a veces son consecuencia de la presencia de sustancias tóxicas que inhiben la función de una o varias enzimas.

• Cuarto (y menos evidente), hay obstrucciones provocadas por toxinas bacterianas o virales, o productos de desecho que afectan la función celular, o también obstrucciones ocasionadas por la adición de ADN viral en nuestro genoma, es decir, nuestro material genético.

• Quinto, hay obstrucciones estructurales secundarias a lesiones, tejidos de cicatrización y otras causas semejantes.

• Sexto, hay obstrucciones debidas a alteraciones emocionales que afectan la función hormonal —por ejemplo, la liberación de adrenalina en situaciones de sobresalto.

• Séptimo, puede haber obstrucciones al flujo de la energía eléctrica en los meridianos de acupuntura.

• Por último, y en un nivel más sutil, es posible que ocurran obstrucciones mentales que afectan los planos físico y emocional. El concepto de mente sobre materia para superar los problemas y el proceso inverso en que el temor a una enfermedad es la causa de que ésta se desarrolle, ejemplifica el papel que tienen los factores mentales.

La mayor parte de las obstrucciones mencionadas se observan en el plano físico, pero las obstrucciones mentales y emocionales tienen igual importancia. Como vimos en el capítulo anterior, todos los planos o niveles del cuerpo interactúan entre sí y los defectos que aparecen en uno pueden repercutir en los demás y provocar alteraciones en ellos. Una situación así es la de una piedra que cae en un estanque; las ondas se extienden hacia el exterior desde el punto en que cae la piedra y pueden abarcar una gran área, e incluso la totalidad del estanque. De este modo, el desequilibrio se extiende desde el foco inicial u ojo de tormenta hacia el exterior. Los remedios homeopáticos, con su poderoso efecto de patrón, tal vez en su papel de autómatas celulares, se visualizan como una onda que se extiende por todo el cuerpo y contrarresta el desequilibrio, devolviendo a los tejidos su armonía y equilibrio.

Este concepto de la acción medicamentosa homeopática sirve para calcular, al menos en teoría, la frecuencia con que debe repetirse la administración de una dosis —un aspecto de la terapéutica homeopática que ocasiona gran dificultad y debate.

Si la alteración es consecuencia de un estímulo adverso único, como un sobresalto repentino, desconsuelo o una infección, pero dicho estímulo ya no se encuentra activo aunque persisten sus efectos, entonces, en teoría, una dosis del remedio adecuado será suficiente para recuperar el patrón del sistema y corregir el problema; sin embargo, si el estímulo es recurrente, entonces la dosis única del remedio puede no ser suficiente para devolver el equilibrio al sistema, pues éste sufre renovados ataques. En tal caso, es necesario repetir el remedio.

Podría afirmarse que el efecto programador de las potencias elevadas es mayor que el de las potencias bajas; por consiguiente, si se utiliza una potencia baja, tal vez haya necesidad de administrar dosis repetidas para producir el mismo efecto de una dosis única de alta potencia. En la práctica, las dosis bajas suelen estar indicadas durante cierto tiempo, mientras que las dosis altas se administran en una dosis única. La excepción a la regla es una situación aguda en la que hay que repetir la dosis de una potencia elevada con intervalos rápidos. No obstante, la crisis aguda debe considerarse como aquella en la que ocurren ataques repetidos que requieren de la administración repetida del remedio adecuado para recuperar el equilibrio. La repetición del remedio continúa todo el tiempo necesario, y las dosis se reducen de manera gradual.

Dennis Milner —doctor en ciencias del Departamento

124

de Metalurgia de la Universidad de Birmingham, quien ha realizado varias investigaciones sobre la fotografía de campo de fuerza etéreo— sugiere que los distintos niveles de potencia tienen que ver con los diferentes planos del individuo, de la siguiente manera:

• Potencias bajas de hasta 12C (plano físico).
• Potencias intermedias, 30C, 200C (plano emocional).
• Potencias elevadas, M, 10M, 50M, CM y mayores (plano mental).

Este concepto es consistente con las observaciones de la prueba de remedios, debido a que las potencias bajas producen síntomas primordialmente físicos, y se requiere de potencias elevadas para ocasionar una sintomatología mental completa.

En los primeros tiempos de la homeopatía, los logros más sorprendentes de Hahnemann ocurrieron con las enfermedades epidémicas —cólera, tifus, tifoidea y demás. Las patologías agudas solían aliviarse con tratamiento homeopático. Sin embargo, Hahnemann se percató también de que había pacientes cuyos padecimientos parecían reincidir, o cambiar su forma, y que era muy difícil darles un tratamiento. Estas personas sufrían de enfermedades crónicas.

Después de mucho estudiar, Hahnemann llegó a la conclusión de que la causa subyacente fundamental de las enfermedades crónicas era lo que él denominó miasmas,[10] término que podríamos traducir, en el vocabulario moderno, como predisposiciones hereditarias. Hahnemann describió tres clases de miasmas (sífilis, psicosis y psora), que relacionó con las enfermedades venéreas (sífilis y gonorrea) y el prurito o sarna de la piel (equivalente a la psoriasis), respectivamente. En la actualidad, la lista de miasmas se ha extendido para incluir los miasmas tubercular, de sarampión, tos ferina, vaccinia, difteria y otros. Hoy se dice que los miasmas son tanto hereditarios como adquiridos, y a menudo es

125

necesario administrar remedios específicos llamados nosodas, que tienen cierta relación con la infección problema, para curar por completo un padecimiento crónico.

La teoría de miasmas de Hahnemann causó gran desprecio y escepticismo en su época, y esta actitud tiende a persistir en la actualidad, en particular entre los médicos ortodoxos. Sin embargo, parece que Hahnemann se adelantó un par de siglos a sus colegas, porque hoy se sabe que el ADN de ciertos virus puede incorporarse a nuestro genoma, nuestro material hereditario, y cuando esto sucede en una célula germinal, es posible que la alteración se transmita a generaciones futuras. Con sólo cambiar un par de bases del ADN, es posible provocar grandes efectos en el cuerpo, así que la inclusión de un material genético extraño en nuestros genes sin duda provocará graves desequilibrios y alteraciones metabólicas.

Así es que tal vez Hahnemann tenía razón al sugerir que los factores heredados de nuestras infecciones pasadas, o las que padecieron nuestros ancestros, ocasionan desequilibrios que se encuentran en la raíz de las enfermedades crónicas. Los virus no son los únicos que pueden incorporarse a nuestro ADN, también se ha dicho que algunos de estos microorganismos surgieron de pequeñas partes de nuestro ADN, fugado de las células y transformado de tal manera que son capaces de llevar una existencia independiente.

Los logros de la biología molecular, en años recientes, han resaltado las posibles relaciones entre homeopatía, inmunología y genética; todas estas disciplinas dependen de la estereoespecificidad para su buen funcionamiento.

El concepto de enfermedad de Hahnemann como un proceso debido a la combinación de factores intrínsecos (heredados) y extrínsecos (ambientales), ha sido confirmado. Hay gran cantidad de errores metabólicos que son exclusivamente hereditarios y representan, a pesar de todo, sólo un pequeño porcentaje del total de las enfermedades; asimismo, muy pocas alteraciones, como los envenenamientos mortales, son debidos sólo a factores ambientales. La mayor parte de los padecimientos combinan la participación de los factores heredados y ambientales; aun los accidentes no son sólo acontecimientos ambientales, porque la "tendencia a los accidentes" puede tener elementos hereditarios y, además, cualquier accidente requiere de ciertas condiciones mentales y del estado emocional de la víctima al momento de ocurrir o poco antes (el estado de alerta, por ejemplo), además del acontecimiento mismo.

Con la homeopatía pretendemos tratar los elementos intrínsecos, hereditarios de la causa de la enfermedad —en otras palabras, mejorar el estado interno del individuo. Según la profundidad del arraigo del trastorno básico en el paciente, el tratamiento puede ser desde muy sencillo hasta complicado en extremo.

El primer enfoque de Hahnemann hacia el tratamiento de la enfermedad (capítulo 6), la medicina preventiva, intenta eliminar los componentes ambientales o extrínsecos; los remedios están diseñados para influir en los componentes internos o de predisposición hereditaria. Por consiguiente, la combinación de los dos aspectos terapéuticos ofrece el enfoque más lógico, sensato y aplicable del tratamiento de las enfermedades. En el siguiente capítulo ahondaremos más en este tema.

8. Relación de la homepatía con otras formas de tratamiento

El aspecto "alternativo" o "complementario" de la medicina abarca gran número de ideas, teorías y tratamientos distintos, muchos de los cuales están en conflicto con los demás. Como es natural, los pacientes se sienten confusos ante la variedad de opciones disponibles y con justa razón cuestionan los méritos y la eficacia relativa de todas las posibilidades terapéuticas.

Un elemento común a todas las terapias es su fundamento en la capacidad curativa propia del organismo (la *vis medicatrix naturae* o fuerza curativa de la naturaleza), y están diseñadas para ayudar al cuerpo en su tarea natural de recuperación. Estas terapias incluyen homeopatía, remedios Bach, herbolaria, acupuntura, terapia dietética y naturopatía, terapia de campos magnéticos, terapia neural, hipnoterapia y terapia de relajación, psicoterapia (incluido el análisis transaccional), osteopatía craneal, técnica Alexander, rolfing (aplicación de rollos) y reintegración cervical. Esta lista no está completa, pero abarca el campo a grandes rasgos, y podemos dividirla en cinco categorías principales:

- Terapias basadas en la dieta.
- Terapias posturales y similares.
- Terapias con medicamentos y remedios.
- Terapias electromagnéticas y similares.
- Terapias que fortalecen el yo destinadas al tratamiento de los aspectos emocional/mental/espiritual sin el uso de medicamentos.

Para comprender las relaciones, es importante repasar el diagrama cuádruple del ser humano con sus planos físico, emocional, mental y espiritual: los desequilibrios en estos planos constituyen los factores internos o hereditarios, y el conjunto se encuentra rodeado por las

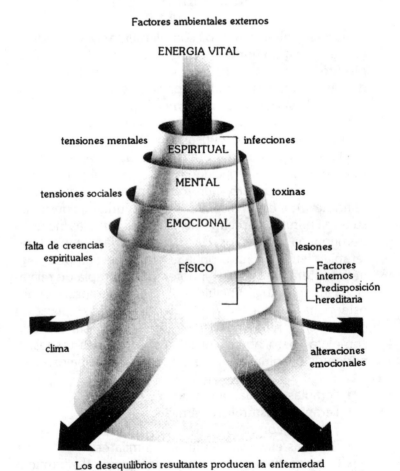

Los desequilibrios resultantes producen la enfermedad

Figura 10. Interacción de los campos de energía y el ambiente.

influencias ambientales, tanto benéficas como dañinas (figura 10). Los factores ambientales dañinos son los factores externos que producen la enfermedad (su etiología). El tratamiento de la enfermedad puede estar dirigido a la corrección de uno o ambos factores.

Los factores externos incluyen la contaminación ambiental —aire, agua, suelo y alimentos; los agentes infecciosos como bacterias, virus y otros parásitos; la clase de trabajo que realizamos y que puede originar problemas de postura; las personas con quienes trabajamos y vivimos; la cantidad de ejercicio que practicamos; la cantidad de aire fresco que respiramos; la cantidad de descanso, relajación, sueño, y otros factores más.

Los factores externos e internos pueden afectarnos en los niveles físico, emocional, mental y espiritual.

1. Terapias basadas en la dieta

Si analizamos primero los factores ambientales, en exclusiva, veremos que la dieta tiene gran importancia en la conservación de la salud y la producción de la enfermedad. En esencia, la dieta nos proporciona dos cosas: energía para funcionar y los elementos necesarios para crear y reemplazar los componentes desgastados y perdidos en el cuerpo.

La energía se cuantifica en calorías y procede de los carbohidratos y las grasas, y en menor grado de las proteínas. Las proteínas son fuente importante de elementos primarios para la construcción y reparación de los tejidos corporales y las enzimas que, en gran medida, son proteínas. Otros ingredientes importantes necesarios para el buen funcionamiento son las vitaminas, que en su mayor parte son componentes esenciales de las enzimas (cofactores enzimáticos),[1] y los minerales y metales, algunos de los cuales son estructurales, como el calcio para huesos y dientes, aunque muchos otros son elementos fundamentales para los sistemas enzimáticos

131

o la conservación de la carga eléctrica de las membranas celulares. Si nuestra dieta carece de alguno de estos constituyentes esenciales, con el tiempo desarrollaremos una enfermedad debido a que los sistemas metabólicos no pueden funcionar adecuadamente. La fibra es otro ingrediente importante en la dieta, porque proporciona los elementos para que el sistema gastrointestinal funcione de manera satisfactoria y sirve de alimento a las bacterias benéficas que, en condiciones normales, habitan en el intestino grueso (colon) y producen cantidades significativas de nuestros requerimientos diarios de vitaminas. Los alimentos refinados como la azúcar blanca y la harina blanca pierden gran parte de sus fibras y contenido mineral y vitamínico en el proceso de refinación; por consiguiente son menos benéficos para el hombre y sólo representan calorías vacías sin los factores esenciales necesarios para aprovecharlas; además, todos los productos industrializados —es decir, los alimentos sometidos a un procedimiento industrial y que terminan empaquetados, embotellados o enlatados— no sólo pierden sus vitaminas, minerales y elementos esenciales en el proceso de producción, sino también gran parte de su color, sabor y textura. Por ende, los alimentos procesados deben contener colores, sabores, saborizantes (en especial el glutamato monosódico, GMS), texturizantes, emulsificantes y conservadores artificiales —que en su mayor proporción son productos químicos que no ofrecen beneficios para el organismo y pueden resultar dañinos. Así pues, los alimentos procesados no sólo carecen de nutrimentos esenciales, sino que además contienen una creciente variedad de sustancias químicas que pueden ser tóxicas.

La adición de productos químicos a los alimentos no se limita a lo anterior; hay gran cantidad de plaguicidas, herbicidas y fungicidas que se utilizan en la agricultura, y estas sustancias químicas tienden a concentrarse en la tierra y de allí son asimiladas por las plantas que consumimos. Como estos productos están diseñados para acabar con la vida, su presencia en la comida difícilmente es provechosa.

Otra costumbre poco saludable que afecta nuestra dieta es la adición de flúor al agua potable. El flúor es un poderoso veneno que inhibe la función de varias enzimas vitales del organismo y crea una carga importante para nuestro sistema inmunitario —la primera barrera de protección contra las infecciones y otros agentes ambientales dañinos. A diferencia de lo que aseguran los gobiernos sobre el flúor, nunca se ha demostrado que esta sustancia sea esencial para la función del organismo, y su papel en la protección de los dientes contra la caries es muy dudosa.[2] Lo único que podemos afirmar sobre el flúor es que en concentraciones aun menores a una parte por millón (la dosis oficial), causa reacciones tóxicas en personas sensibles y un estudio reciente reveló que esta medida puede resultar mucho más perjudicial para la salud de lo que se había pensado.[3] Los síntomas que produce el envenenamiento con flúor son semejantes a los que provocan los herbicidas y plaguicidas en nuestros alimentos, en particular el trigo; como los fertilizantes superfosfatados contienen fluoruros, el creciente uso de estas sustancias en la agricultura provoca una mayor absorción de flúor en las plantas y tal podría ser otra explicación de los efectos adversos que experimentan algunas personas al consumir alimentos producidos con los métodos agrícolas actuales.

Estos antecedentes son el fundamento de la naturopatía, o cura natural, y de otras variedades dietéticas sanas y coherentes. El mensaje es comer alimentos puros, frescos, no procesados y de producción orgánica, de ser posible. También es aconsejable consumir alimentos de origen vegetal en vez de productos de origen animal, utilizar aceites vegetales y no grasas animales, y preferir los aceites vegetales naturales, exprimidos en frío, a los aceites comerciales industrializados.

Estos consejos tienen diversos fundamentos. Para empezar, los animales, en la actualidad, a menudo son engordados en lugares cerrados y bajo condiciones que, para estos seres, son muy antinaturales; su alimentación consiste de dietas artificiales y, para prevenir la diseminación de las infecciones que ocasionan estas condiciones de vida, es necesario administrar grandes cantidades de antibióticos. La alteración emocional de este estilo de vida animal antinatural suele requerir de tranquilizantes y, para garantizar niveles industriales adecuados para la producción de carnes, se les inyectan hormonas esteroides anabólicas —es decir, sustancias que aumentan la musculatura. De este modo se han convertido en el equivalente animal de las plantas obligadas a crecer con fertilizantes artificiales y rociadas con herbicidas y plaguicidas.

Si usted prefiere consumir alimentos animales, entonces le aconsejamos que compre productos que no hayan sido sometidos a estos procedimientos, y que los solicite en caso de no disponer de ellos en su zona. Cada día hay más cantidad de huevos y carnes de aves que se obtienen sin esa clase de industrialización. La carne de cordero es preferible a la de res o cerdo, porque la cría y engorda industrial de corderos es muy poco común, y es preferible la carne de animales silvestres pues la de los animales de engorda doméstica han tenido que vivir en condiciones antinaturales. En general, el pescado es mejor que la carne.

Las grasas animales tienden a estar saturadas, mientras que los aceites vegetales son insaturados.[4] Los aceites de pescado son menos saturados que las grasas animales. Las carnes de animales domésticos, en especial los que fueron sometidos a engorda, tienen una cantidad considerable de grasa invisible en la carne, mientras que los animales criados de manera natural, como los animales de presa, contienen muy poca grasa invisible.

Las grasas de la dieta tienen importancia por dos motivos: por una parte, son una fuente de energía concentrada; por otra, proporcionan los ácidos grasos

134

esenciales, a menudo denominados vitamina F, que sirven de base para la síntesis de prostaglandinas. Los ácidos grasos esenciales (AGE O EFA, en inglés) son ácidos grasos poliinsaturados, también conocidos como AGPI (PUFA, en inglés). A pesar de que todos los ácidos grasos esenciales son poliinsaturados, no todos los ácidos grasos poliinsaturados son esenciales. Hay dos variedades de ácidos grasos poliinsaturados: la forma cis y la forma trans. La forma cis es la que ocurre en condiciones naturales —otro ejemplo de estereoespecificidad; por consiguiente, los ácidos grasos esenciales son ácidos grasos poliinsaturados de forma cis.

Sin embargo, esos ácidos grasos tienden a ser poco estables, pues se metabolizan con facilidad; por ello tienen una vida media más corta que los de las formas trans y pueden enranciarse con facilidad. Por tal motivo en la fabricación de aceites vegetales, tanto en el proceso de extracción como en la producción de artículos como margarina, los fabricantes prefieren convertir la mayor cantidad posible de ácidos grasos cis en su forma trans; por desgracia, la forma trans no tiene valor alguno en el organismo, además del aporte de energía, y por ello queda en la misma categoría que la grasa saturada. El método tradicional de expresión en frío para extraer los aceites vegetales permite conservar las formas cis de los ácidos grasos y esto hace que los aceites exprimidos en frío sean mejores que sus equivalentes de producción comercial.

En Inglaterra, la creciente tendencia a la industrialización y adición de químicos en alimentos y bebidas es, al parecer, una de las causas principales del incremento, en las últimas tres o cuatro décadas, de la tasa de enfermedades crónicas, pues ocasiona una grave agresión química al cuerpo y su equilibrio metabólico. En muchos casos, la eliminación de esta agresión puede devolver la función normal al individuo sin necesidad de administrar tratamientos adicionales. Por ello, es importante analizar primero la dieta en cualquier programa terapéutico para eliminar las acumulaciones tóxicas y corregir cualquier carencia de vitaminas, minerales, fibra y otros elementos.

2. Terapias posturales y similares

Incluyen osteopatía, osteopatía craneal, técnica Alexander, rolfing y reintegración cervical. F. Matthias Alexander[5] fue quien destacó por primera vez la importancia de la región cervical (cuello) en la coordinación corporal e hizo hincapié en la necesidad de una correcta relación cabeza-cuello-cuerpo.

En nuestra civilización actual, muchos tenemos ocupaciones sedentarias o semisedentarias, por ello tendemos a realizar poco ejercicio y nuestros músculos se vuelven blandos y flácidos, y pierden su capacidad para conservarnos en la posición correcta. Muchas personas pasan gran parte del día de trabajo agachadas sobre el escritorio, la máquina de escribir, una computadora o algún aparato semejante, y el tiempo de descanso lo pasan encorvadas frente al televisor, mientras que el recorrido de casa a la oficina suele ser en un transporte mecanizado –casi siempre autos que no sirven de mucho para mejorar la postura. Por ello, no es sorprendente que la mayoría tengamos mala postura, gran tensión en el cuello y el consiguiente dolor de cabeza, de espalda y diversos trastornos musculoesqueléticos.

Las terapias incluidas en esta sección pretenden corregir las deformaciones de la postura y reducir, o aliviar por completo, las tensiones del cuello y otros músculos, permitiendo que el cuerpo se mueva y funcione con mayor libertad. La técnica Alexander logra este objetivo con lentitud; la reintegración cervical es un método más rápido en el cual se ejerce presión en los músculos tensos para provocar su relajación. Al eliminar la tensión en el cuello suele desaparecer el dolor de cabeza, la rigidez del hombro, la contractura del codo, los dolores de muñeca, omóplato, espalda y cintura, cadera, rodilla, tobillo y pie, el lumbago, la ciática y diversos malestares y dolores neurálgicos en general, sin recurrir a otras formas de tratamiento. Si el padecimiento se debe a tensión muscular producida por una lesión (el síndrome del latigazo en el cuello es muy común) o alteración postural, esta clase de terapia es el tratamiento indicado. Sin embargo, es importante recordar que la tensión muscular puede deberse a algo más que una mala postura o un movimiento corporal inadecuado. Los términos "rígido", "tenso", "molesto" y otros son de uso común en la actualidad, y sugieren que la persona sufre de algo más profundo que un simple problema de tensión muscular; estas posturas suelen indicar alguna emoción profunda y reprimida, o algún episodio traumático del pasado. A veces, al utilizar la reintegración cervical los pacientes empiezan a llorar o, incluso, experimentan desmayos o náuseas, y luego manifiestan una sensación de alivio; en ocasiones, aunque no siempre, pueden recordar cuál fue el incidente reprimido u olvidado.

Un ejemplo interesante es el de un hombre de más de treinta años que sufría de una intensa tensión en el cuello y quien, mientras recibía tratamiento, empezó a frotarse los costados con las manos; luego sufrió un desmayo de algunos segundos. El tratamiento fue interrumpido en ese momento, pero cinco minutos después, el hombre recordó de pronto la razón de su extraña respuesta: en la infancia, con algunos amigos, participó en un juego en el que un niño debía pararse detrás de otro y rodearle el pecho con las manos; el niño de enfrente debía aspirar hondo y retener el aire mientras el que estaba a su espalda le apretaba el pecho con los brazos, provocando su desmayo. El paciente había olvidado por completo lo ocurrido, hasta que liberó la tensión de los músculos del cuello con la reintegración cervical. Asimismo, el individuo no se había percatado de que se frotó el pecho antes de perder el sentido. Éste es un ejemplo sencillo del modo como los recuerdos del pasado pueden quedar atrapados en espasmos musculares, tema del que hablaremos con mayor detalle en la sección de fortalecimiento del yo; ésta es una posibilidad que no debemos pasar por alto cuando tratemos un espasmo del cuello, en particular si el malestar no responde como debería a las técnicas de liberación de tensiones.

El ejercicio es otro tema a considerar. Todos sabemos que el ejercicio es importante para conservar nuestros músculos en buenas condiciones; si no los usamos la masa muscular tiende a degenerarse, término conocido como atrofia muscular. No sólo los músculos, sino también el corazón (músculo cardiaco) tiende a sufrir degeneración si no hacemos suficiente ejercicio, y esto puede conducir, a la larga, a una insuficiencia cardiaca. Es esencial que practiquemos cierta cantidad de ejercicio todos los días para conservar un buen tono y funcionamiento corporal, pero si usted no está acostumbrado al ejercicio, es necesario que incremente el nivel de esfuerzo con lentitud para que su cuerpo se acostumbre al aumento de actividad y a la mayor carga de trabajo del corazón y los pulmones, los músculos respiratorios y esqueléticos.

El ejercicio tiene un efecto adicional, más sutil, que se deriva del esfuerzo constante para llegar a los límites de la resistencia y superarlos. Pocas personas experimentan esta situación en la vida moderna y lo más parecido al ejercicio, en muchos casos, son una carrera corta y agitada para alcanzar el tren o el autobús. Sin embargo, cuando nos sometemos a un ejercicio prolongado, como trotar, correr la maratón o escalar una montaña, experimentamos beneficios muy superiores al de una mejor función cardiaca y muscular —beneficios que se encuentran en los niveles emocional, mental y espiritual. Podemos derivar satisfacción del logro de algo que antes nos pareció imposible; de alguna forma, superamos la barrera de las obstrucciones mentales que nos limitan y descubrimos una mayor libertad tanto en el rendimiento como en la actitud. Esto nos da la confianza para enfrentar los problemas que una vez consideramos insuperables, a sabiendas de que antes logramos superarnos a nosotros mismos.

3. Terapias con medicamentos y remedios

Las terapias dietética y postural pretenden corregir los desequilibrios provocados por el ambiente y, por ello, debemos tomarlas en cuenta dentro de cualquier programa terapéutico en el que tengan un papel esa clase de desequilibrios. No obstante, si hay un factor interno en la causa de la enfermedad, es poco factible que estas dos formas de terapia puedan corregirlo por sí solas. La corrección de los desequilibrios que ocurren dentro del organismo requiere del uso de una terapia que pueda contrarrestar dicha alteración.

La homeopatía, los remedios Bach y la herbolaria son métodos distintos de utilizar las propiedades curativas de las plantas y otras sustancias naturales. Los remedios, al parecer, tienen la capacidad para armonizar los procesos metabólicos del cuerpo y corregir sus desequilibrios.

Hay gran debate acerca de los méritos relativos de la homeopatía y la herbolaria. Las dos disciplinas tienen muchas plantas en común, pero difieren, en muchos casos, en la forma como las indican. En términos generales, los remedios herbarios están indicados para padecimientos específicos, algo parecido al uso de crataegus (espino) en insuficiencia cardiaca, árnica para golpes o hypericum para lesiones nerviosas. Los cuadros medicamentosos (la totalidad de los síntomas), que es fundamental para la práctica homeopática, no tiene cabida en la tradición herbolaria. Los remedios herbarios suelen indicarse como tinturas individuales o en diversas combinaciones preparadas, de manera específica, para los malestares del paciente.

Los remedios Bach reciben este nombre de su descubridor, el doctor Edward Bach;[6] éste fue un médico que,

139

después de recibir su título en 1912, trabajó durante algún tiempo en el University College Hospital, de Londres, donde despertó su interés en la bacteriología y la naciente especialidad de inmunología. Bach estaba intrigado por la relación entre la presencia de ciertas bacterias intestinales anormales que habían perdido su capacidad para fermentar la glucosa y las enfermedades que manifestaban los pacientes que tenían estos parásitos. El científico preparó vacunas con estas bacterias y descubrió que, a menudo, había una importante mejoría en la salud del paciente después de recibir el tratamiento de una inyección de la vacuna muerta adecuada. A partir de esta terapia, ocurría un cambio importante en el número de microorganismos que habitaban en el intestino del enfermo y esta variación podía durar semanas o meses, tiempo en el que persistía la mejoría del enfermo. Bach descubrió que no era aconsejable repetir la inyección mientras persistiera la mejoría.

Asimismo, clasificó las bacterias en siete grupos, preparó una vacuna para cada uno de ellos y describió el temperamento observado en cada grupo; en muchos casos pudo, incluso, establecer el diagnóstico del organismo patógeno durante la primera consulta, con base en el temperamento del enfermo, y los estudios bacteriológicos realizados después confirmaron esta conclusión. En 1919 empezó a trabajar en el Hospital Homeopático de Londres, como patólogo y bacteriólogo, y descubrió que podía utilizar el método homeopático de la potenciación para preparar las vacunas, que así podría administrar por la boca en vez de inyectarlas. Esto es lo que hoy conocemos como nosodas intestinales de Bach, las cuales fueron ampliadas después por John Paterson y son una adición importante a la *materia medica* homeopática.

Además, Bach también se dio cuenta de que ciertos remedios homeopáticos podrían cambiar la flora bacteriana de los pacientes, aunque ningún medicamento convencional o régimen dietético hubiese producido alteraciones significativas. Al profundizar en estos estudios, pudo establecer la relación de ciertos remedios homeopáticos con algunas de sus nosodas intestinales; sin embargo, no se conformó con sus remedios preparados a partir de bacterias y consideró que debía haber alternativas vegetales que fueran más puras y aceptables para el público. Por consiguiente, dedicó sus investigaciones posteriores al descubrimiento de dichos remedios vegetales, los cuales tenían especial relación con el temperamento, el estado de ánimo y mental. Bach conocía bien los efectos de la mente en el cuerpo, sabía que un estado mental negativo, sin armonía, podía afectar la vitalidad del cuerpo y disminuir su capacidad para sobreponerse a las agresiones y presiones del ambiente; tenía especial interés en encontrar remedios que corrigieran estos estados mentales en el paciente, debido a sus efectos dañinos, y así permitir que el cuerpo tuviera más posibilidades de curarse.

Bach dividió los estados mentales en siete grupos que correspondían a los grupos de bacterias intestinales; estos son: temor, indecisión o incertidumbre, indiferencia, soledad, sensibilidad exagerada a influencias e ideas, desesperanza o abatimiento, y exagerada preocupación por el bienestar de otros. Cada una de estas categorías fue subdividida en otras más, dando un total de treinta y ocho –cada grupo corresponde a uno de los treinta y ocho remedios que Bach descubrió posteriormente.

Estos remedios se crean con las flores de plantas, arbustos y árboles silvestres. Muchos de ellos se preparan poniendo a flotar los capullos recién cortados en agua pura, y dejarlos al sol durante algunas horas; sin embargo, ciertos remedios de árboles se preparan con los vástagos en flor que incluyen tanto ramas como flores y se colocan en agua fresca, que se pone a hervir, dejándola reposar durante una hora, para después enfriarla y colarla. Los líquidos que se obtienen con estos dos métodos de preparación se diluyen entonces con un volumen equivalente de brandy, el cual actúa como conservador. Los remedios así formados parecen actuar como altas potencias homeopáticas y, al igual que éstas, tienen un ámbito de influencia específico determinado por los estados de ánimo y mentales del paciente.

Todo remedio tiene dos aspectos, ya sea el homeopático o el remedio de flores de Bach —uno positivo y otro negativo. Al indicar el remedio se considera siempre el aspecto negativo, pues es esto lo que aparece en la enfermedad del paciente. No obstante nunca debemos olvidar el aspecto positivo, que es mucho menos apreciado y rara vez aparece incluido en la *materia medica*, aunque es el potencial para esa clase de personalidad.

Los remedios florales de Bach y los remedios homeopáticos se complementan entre sí y pueden utilizarse en conjunto en el mismo programa terapéutico. El propio doctor Bach opinaba que sus remedios florales ayudaban a armonizar mejor los planos físico, emocional y mental con el nivel espiritual del individuo, y declaró que "no hay cura verdadera a menos que haya un cambio en el punto de vista, la paz mental y la felicidad interior".

4. Terapias electromagnéticas y similares

En este grupo incluiremos la acupuntura, electroacupuntura, terapia neural y terapia de campo magnético. Todas estas terapias afectan, de una u otra forma, el equilibrio eléctrico del cuerpo.

Como se dijo antes (capítulo 4), la materia está compuesta de partículas que pueden o no tener una carga; todas las reacciones químicas y bioquímicas dependen de las cargas eléctricas y las moléculas que tienen actividad biológica poseen cargas que pueden ser positivas en un extremo y negativas en el otro. Las moléculas biológicas complejas, de cadena larga, pueden tener diversas cargas y en el nivel celular, las membranas también poseen cargas. Esas cargas eléctricas participan en el transporte de sustancias a través de

142

las membranas celulares y en la conducción de los estímulos nerviosos. En el nivel tisular y orgánico, los patrones cambiantes de las cargas en el corazón, los músculos y el cerebro crean registros llamados electrocardiograma (ECG), electromiograma (EMG) y electroencefalograma (EEG), respectivamente.

Los antiguos chinos creían que la energía eléctrica del cuerpo corría por canales específicos conocidos como meridianos de acupuntura y hace miles de años crearon esquemas de los mismos. Sin embargo, en Occidente los meridianos de acupuntura y los puntos de acupuntura resultantes fueron recibidos con gran escepticismo y considerados como simples productos de la imaginación; después de todo, no coincidían con la distribución de los nervios y todos sabemos que los nervios funcionan con energía eléctrica.

Empero, el uso de sofisticados aparatos para medir voltios y resistencias, que sirven para determinar el flujo de la electricidad en el cuerpo y los grados de obstrucción del mismo, han demostrado la existencia de los puntos y meridianos de acupuntura. En los últimos años se han descubierto algunos puntos y meridianos nuevos, pero la exactitud de los acupunturistas de la antigua China no deja de ser asombrosa.

Las obstrucciones al flujo de la energía eléctrica en los meridianos pueden ocasionar problemas distales (es decir, lejanos) al bloqueo en los órganos pertinentes a dicho meridiano. Los desequilibrios del sistema eléctrico pueden deberse a un exceso o a falta de energía, y la acupuntura pretende corregir los desequilibrios mediante la eliminación de la obstrucción y la reducción o el aumento de la cantidad de energía. En la acupuntura, se introducen agujas en puntos de acupuntura específicos para descargar una acumulación excesiva de energía o aumentar la cantidad de la misma, dependiendo de los puntos que se utilicen. El resultado final es el equilibrio y la armonía del flujo de la energía. La electroacupuntura es una terapia moderna en la que se logra equilibrar el flujo de energía mediante la administración de una pequeña descarga eléctrica a una frecuencia específica —casi siempre 2.5, 10 u 80 pulsos por segundo (Hertz o Hz)— en un punto de acupuntura indicado. Un problema común es la presencia de cicatrices en los meridianos, y esto puede solucionarse con la colocación de electrodos en los dos lados de la cicatriz y la aplicación de electroacupuntura.

Una terapia que, al parecer, tiene semejanza con la electroacupuntura es la terapia neural, descubierta en Alemania a principios de siglo y que también opera con las cargas eléctricas de las membranas celulares. Una membrana celular sana tiene un potencial de reposo de + 90 mV (milivoltios);[7] se dice que una célula está despolarizada cuando pierde su carga, y muchas funciones celulares requieren de un ciclo de despolarización y repolarización. Sin embargo, si una célula no puede recuperar su carga de reposo, sufre una despolarización crónica o permanente y esto afecta su función. El objetivo de la terapia neural es devolver el potencial de reposo a las células despolarizadas mediante la inyección de pequeñas cantidades de un anestésico local (procaína o xilocaína) que tiene una carga de + 290 mV, y esto dispara una serie de respuestas que permiten restaurar la función celular. Hay varias afecciones neuromusculares y otras que provocan dolor, sin motivo aparente, que responden bien a la terapia neural. Una aplicación reciente en nuestra experiencia personal fue el tratamiento de la esclerosis múltiple, donde observamos que devolvió parte de la función nerviosa a 60 o 70% de los pacientes tratados. En la terapia neural es bien conocida la importancia de las cicatrices como obstáculos para el flujo de la energía, y la inyección de anestésico en la cicatriz es una buena alternativa a la electroacupuntura. Las dos técnicas han logrado resultados similares.

La terapia de campos magnéticos también se originó en Europa y tiene particular popularidad en Alemania y Austria. En apariencia, es un principio semejante al de

144

la electroacupuntura: cuando las corrientes eléctricas fluyen, producen campos eléctricos y, por consiguiente, es posible que las dos técnicas sean variaciones de lo mismo. El campo magnético de la Tierra tiene una frecuencia de pulso de 10 Hz (10 pulsos/segundo) y se ha observado que al colocar a los pacientes en campos magnéticos de alrededor de 10 Hz, o al administrar electroacupuntura a 10 Hz, es posible acelerar el proceso de curación.

El siglo xx ha presenciado el desarrollo de un número creciente de bandas y frecuencias de onda en nuestro ambiente; las ondas de radio, radar, televisión, las luces fluorescentes, los cables de alto voltaje e, incluso los circuitos cerrados de nuestros hogares aumentan las frecuencias invisibles y, a veces, insospechadas que afectan el ambiente. De hecho, además de la contaminación química, hemos contaminado nuestro entorno con ondas de radio de diversas frecuencias. Todavía se desconocen los efectos combinados de estas ondas en nuestra salud y bienestar; sin embargo, ya se sabe que la vecindad inmediata de un radar es una zona de peligro, como lo son las áreas que están debajo de los cables eléctricos de alta tensión. Los riesgos de la exposición prolongada a la iluminación fluorescente y las pantallas de video empiezan a ser percibidos, y la frecuencia de 50 Hz de los circuitos cerrados domésticos tampoco es muy conveniente. Sabemos que los rayos X pueden ser muy peligrosos y es posible que las frecuencias que utilizan las impresoras láser y los hornos de microondas también puedan representar un riesgo.

Si recordamos que el cuerpo depende de delicadas interacciones para su funcionamiento adecuado, sería asombroso que estas diversas frecuencias eléctricas *no* ejerzan algún efecto en el ser humano, ya sea benéfico o pernicioso. Es posible, aunque no ha sido demostrado, que el éxito de los campos magnéticos de 10 Hz para mejorar la salud se deba, simplemente, a una forma de terapia de reemplazo que da al paciente una buena dosis

145

del campo magnético de la Tierra, el cual se encuentra perdido bajo las frecuencias artificiales que nos rodean. El efecto tranquilizador y relajante de la electroacupuntura con dosis de 10 Hz, en puntos de acupuntura específicos, puede deberse a una razón similar.

Se sabe que hay otras frecuencias eléctricas que tienen efectos determinados en el cuerpo. Por ejemplo, la frecuencia de 2-2.5 Hz estimula la producción de sustancias orgánicas que combaten el dolor (endorfinas), y las frecuencias de 80 Hz estimulan la producción de 5 hidroxitriptamina (serotonina), un compuesto que participa en la función cerebral y nerviosa.

5. Terapias que fortalecen el yo

Incluyen terapia de relajación, hipnoterapia, autosugestión, entrenamiento autogénico,[8] análisis transaccional y meditación.

La relajación es el sustrato de varias de estas terapias; tranquilizar y relajar, primero el cuerpo y luego los aspectos emocional y mental. En lo que respecta a técnica y efecto la terapia de relajación, la hipnosis y la autohipnosis,[9] el entrenamiento autogénico y la meditación son muy semejantes; en esencia, cuando el cuerpo se encuentra relajado y la mente serena, las ondas cerebrales (EEG) tienden a fluir con una frecuencia de 7-14 Hz, con una media de 10 Hz —¡la misma frecuencia del campo magnético de la Tierra! En este estado, el cerebro puede percibir sugestiones curativas del terapeuta o del propio paciente; esto recibe el nombre de fortalecimiento del yo (o ego) con hipnosis y la repetición de varias sesiones de esta forma de terapia puede ser útil para ayudar al paciente a superar problemas emocionales, mentales y aun espirituales. Como todos los niveles del individuo están interrelacionados y son interdependientes, el tratamiento en estos niveles también puede tener efecto en los problemas físicos, y si el origen del problema se encuentra en el ámbito emocional o mental, entonces el tratamiento en este nivel puede brindar un alivio muy rápido.

No obstante, la hipnosis puede hacer más que mejorar la autoimagen del enfermo; a veces surgen situaciones físicas, emocionales, mentales o espirituales que resultan insuperables para la persona y por ello son eliminadas de la mente consciente, es decir, olvidadas y relegadas al subconsciente donde, sin embargo, persisten en su efecto. En este estado, el paciente no se percata del origen del problema, porque lo reprimió adecuadamente, y por ello no puede ayudar al terapeuta, de una manera consciente, con la información relevante de su caso. Cuando esto sucede, la regresión por edades en estado de hipnosis puede tener enorme validez, pues permite que el enfermo retroceda libremente en el tiempo, con su propio control, hasta algún acontecimiento relevante que crea que ya puede superar, pero sin verse obligado a hacerlo. Algunos hipnoterapeutas opinan que la incapacidad de algunos individuos para ceder a la hipnosis se debe al temor subconsciente de ser incapaces de enfrentar lo que pueda surgir y que esta experiencia les haga pedazos. El terapeuta debe respetar esta actitud en el paciente.

En la sección de reintegración cervical se habló de la relación entre postura corporal y traumas o emociones pasadas suprimidas; muchas personas controlan sus sentimientos mediante la tensión muscular y pueden volver a experimentar esas emociones, de manera espontánea, cuando se elimina un espasmo muscular. Del mismo modo debe sospecharse de un problema emocional subyacente en las personas que no responden de manera satisfactoria a la reintegración cervical u otras formas de tratamiento dirigidas a eliminar la tensión muscular.

El delegado a una conferencia sobre hipnosis es un ejemplo notable de los problemas que podemos encontrar si olvidamos que la totalidad del individuo depende de la interrelación de los planos de su ser.[10] Los hombros de este hombre estaban tan rígidos y tensos que casi le tocaban las orejas; durante el descanso de la mañana, uno de sus colegas lo abordó y dijo que practicaba acupuntura, y que podía aliviar la tensión de su hombro si se lo permitía. El hombre aceptó de inmediato; el especialista clavó algunas agujas y entonces ocurrió un notable cambio en la postura, casi de inmediato. Todos los presentes se mostraron muy impresionados por el poder de la acupuntura.

Durante el periodo de comida, se hizo la observación de que el "paciente" había desaparecido, y no volvió para iniciar la sesión de la tarde. Hubo algunas expresiones de inquietud, pero desaparecieron cuando el hombre volvió después de la hora de descanso para tomar el té, con los hombros nuevamente encogidos hasta las orejas. El afectado comentó a uno de sus colegas que había pasado la tarde cerca del río cercano, combatiendo el deseo de saltar al agua; sólo cuando recuperó el espasmo muscular conquistó ese deseo suicida. Preguntó a su colega si querría aplicarle una terapia de regresión por edades para resolver el problema que había descubierto esa tarde.

Después se supo que lo que el hombre quería hacer en realidad era estrangular a la madre, un deseo que era inaceptable desde el punto de vista social y moral y que, por ello, tuvo que reprimir. Cuando la acupuntura eliminó el mecanismo de represión, el deseo de matar volvió a surgir, pero esta vez estaba dirigido contra el propio paciente. Cuando éste encaró la situación y la resolvió con terapia regresiva, todo el cuadro de conflicto, incluido el espasmo de los hombros, desapareció. Aunque este caso vuelve a resaltar las relaciones que hay entre distintos aspectos del individuo, también es una admonición para evitar una actitud o tratamiento superficiales cuando existe un problema psicológico profundamente arraigado.

Otro ejemplo interesante del poderoso efecto de la

hipnosis en diversos planos del individuo es el caso de una mujer de mediana edad originaria de Stornoway, quien ingresó en el hospital rural de la localidad con un cáncer de mama en estado terminal. El tumor se había extendido del seno a diversas regiones, incluidos los huesos, y la enferma sufría de intensos dolores que no podían aliviar con analgésicos; además, la mujer manifestaba intenso temor. La combinación de miedo y dolor la convertían en una paciente en extremo difícil; siempre exigía algo al extremo de que perturbaba la rutina de la sala y tenía muy molestas a todas las enfermeras quienes, a pesar de todo, trataban de compadecerla. Sucedió que uno de los médicos practicaba hipnosis y la jefa de enfermeras de su sala lo abordó para preguntarle si podía hacer algo para tranquilizar a la paciente que alteraba la rutina del servicio y molestaba sin cesar a las enfermeras. El médico aceptó hacer lo posible. Tuvo una sesión con la enferma; la relajó y le dijo que podía comprender su angustia y temor, y también que experimentara intenso dolor; sin embargo, le aseguró que ella misma podía controlar el dolor y que con sólo mirar hacia cierto rincón del techo de la sala, el dolor desaparecería. Este tratamiento tuvo gran éxito; la paciente pudo controlar su dolor al grado de que desapareció por completo, y su temor y angustia también se disiparon. Se volvió una paciente encantadora que ya no exigía continua atención ni alteraba el funcionamiento de la sala. Pero no sólo eso... su cáncer, el cual ni siquiera fue mencionado durante la sesión de hipnosis, sufrió un proceso de regresión muy acelerado y después de unas semanas habían desaparecido todas sus manifestaciones radiológicas. La mujer fue dada de alta, en aparente buen estado, y tuvo una vida activa y feliz durante cinco años, antes de morir, con poco dolor y sufrimiento, a consecuencia del cáncer.

En este caso, la hipnosis liberó el estado mental negativo de la enferma, lo cual tiene consistencia con la tesis del doctor Bach, quien desarrolló los remedios florales y afirmaba que el estado mental podía inhibir la capacidad del cuerpo para curarse solo; el alivio de estos estados negativos puede tener un efecto asombroso en la salud y el bienestar.

El análisis transaccional es una terapia más activa que ayuda al paciente a comprender la base de las interacciones sociales, y a aprender la forma como puede resolver con éxito las situaciones sociales difíciles dentro de la familia o en el lugar de trabajo.

El tratamiento en estos niveles, mental y emocional, también puede recurrir al uso de remedios homeopáticos o los de Bach. Los pacientes tendrán respuestas distintas a diferentes terapias —tal vez debido a un efecto sutil de los antecedentes hereditarios— y no hay una terapia única diseñada para todos los casos.

Curación espiritual

En esencia, la curación espiritual es un tratamiento destinado a corregir los desequilibrios en el nivel espiritual de la vida. Por consiguiente, actúa en el nivel más profundo del individuo y corrige los desequilibrios energéticos en el centro mismo de nuestro ser. Debido a que, como ya fue demostrado, todos los planos o niveles de la persona están interrelacionados, y el desequilibrio o bloqueo en un nivel puede afectar a todos los demás, el tratamiento en un nivel espiritual tal vez también tenga efectos benéficos en los niveles mental, emocional y físico.

A menudo restamos importancia a la intensidad con que las tensiones y agresiones que sufrimos quedan reprimidas en el subconsciente —un área que, quizá, se encuentre más en el plano espiritual que en el mental. Es posible reprimir el dolor físico, si es insoportable, para resistirlo con mayor tranquilidad, y muchos conflictos y traumas emocionales y mentales quedan suprimidos cuando amenazan la integridad del yo o la autoimagen

150

de la víctima. Sin embargo, este material reprimido no deja de supurar y a la larga produce obstrucciones y desequilibrios en otros planos del ser. La curación espiritual pretende corregir estos arraigados desequilibrios al fortalecer el flujo de la fuerza vital y eliminar cualquier fuerza o desequilibrio negativo. Aunque es posible tratar muchos problemas de esta índole con remedios de acción profunda o hipnoterapia, a veces no son suficientes para llegar a la médula misma del paciente. A la fecha, de todas las terapias de que disponemos, la curación espiritual, en cualquier forma que se administre, es la de acción más profunda, la menos entendida y la menos utilizada.

A partir de este análisis de las distintas formas terapéuticas disponibles, podemos llegar a la conclusión de que el tratamiento elegido dependerá de las causas desencadenantes y subyacentes de la enfermedad a tratar. Todos tienen validez y utilidad, y como todos se ocupan de eliminar los factores ambientales o de fortalecer el estado interno del paciente, no hay conflicto entre las distintas terapias y es posible combinarlas de manera adecuada, a menudo con resultados más rápidos y duraderos de los que podrían derivarse del uso de una estrategia única.

Los beneficios adicionales que pueden obtenerse del uso de un esquema terapéutico combinado, quedan ejemplificados en un estudio que tuvimos la oportunidad de realizar, hace alrededor de tres años, en una institución residencial de salud en Crieff.[11] Los pacientes del estudio tenían osteoartritis o artritis reumatoide; el tratamiento consistió de terapia dietética, reintegración cervical y un preparado congelado y seco del mejillón de labios verdes de Nueva Zelanda, *Perna canaliculus*.

• El régimen dietético empezó con tres días de jugos de frutas y verduras frescas, para movilizar las toxinas acumuladas y eliminarlas del organismo. Después de esta fase de lavado, siguieron siete días de ensaladas,

151

verduras y frutas frescas –también ricas en fibra, vitaminas, minerales y otros elementos. Después, y durante el resto de su estancia en la institución, que varió de dos a tres semanas, los pacientes consumieron una dieta más abundante, sin trigo ni aditivos.

• La reintegración cervical alivió la tensión muscular, en particular en las regiones de cuello y espalda, aunque también en zonas cercanas a ciertas articulaciones.

• El preparado de mejillón de labios verdes es un remedio que, aunque se administra en dosis materiales, es semejante a la homeopatía en su forma de acción. En un estudio doble ciego previo, se descubrió que tenía utilidad en 70% de los pacientes con artritis reumatoide y 40% de quienes desarrollaron osteoartritis.[12]

Con este sistema terapéutico combinado, los pacientes manifestaron una considerable mejoría de su enfermedad en más de 80% de los casos, y esto se observó casi siempre dentro de las primeras dos semanas. En la mayoría de los enfermos, los resultados fueron espectaculares. Resultó evidente que al combinar enfoques sinergistas en el tratamiento, es posible obtener resultados más rápidos y mejores que con el uso de una terapia aislada.

En la moderna sociedad occidental, la mayoría de los pacientes necesitan de una terapia dietética y de corrección postural; después, la elección de acupuntura, remedios homeopáticos o de Bach, terapia neural, hipnoterapia, fortalecimiento del yo o cualquier otra terapéutica dependerá, en gran medida, de los antecedentes de la enfermedad y de la respuesta individual al tratamiento seleccionado. Algunos enfermos responden de inmediato y de manera satisfactoria al tratamiento; otros, en particular quienes tienen enfermedades crónicas de muchos años de evolución y muy arraigadas, tal vez probarán diversos enfoques antes de obtener una respuesta satisfactoria, y algunos individuos nunca responderán bien a alguna de las técnicas conocidas hasta el momento. Sin embargo, en términos generales, cuanto mayor sea el número de técnicas disponibles para el médico, mayor será el número de pacientes a quienes pueda brindar su ayuda.

9. ¿Funciona la homeopatía?
Resultados de las investigaciones

Al igual que el capítulo 7 (que trata de algunos conceptos actuales sobre el mecanismo de acción de los remedios homeopáticos), éste adopta un enfoque más científico que el resto del libro; aunque hemos hecho un esfuerzo para expresar los conceptos con lenguaje sencillo, fue imposible eliminar algunos términos científicos. Por consiguiente, este capítulo es de mayor trascendencia para quienes tienen un interés crítico en la homeopatía y puede ser omitido por los lectores que posean una menor afición científica.

A pesar de que la homeopatía cobró vida hace doscientos años, se han realizado muy pocas investigaciones para comprender o demostrar su funcionamiento y eficacia. Sin embargo, debemos suponer que si la homeopatía no fuera eficaz no habría sobrevivido todo este tiempo, pues los médicos habrían dejado de administrarla y los pacientes no la solicitarían más. Varias de las personas que han investigado esta especialidad, con la finalidad de desacreditarla, quedaron tan impresionadas con los resultados obtenidos que se convirtieron en sus defensores en vez de detractores; mucha de la supuesta "comprobación clínica" de la homeopatía se encuentra en los casos anecdóticos que, como señalan los críticos, bien podrían ser producto de la casualidad. Es imposible comparar la eficacia de la homeopatía con otras formas de terapia si no se hace una valoración de la proporción de casos que responden al tratamiento homeopático.

Con potencias superiores a 12C, o 24X, las posibilidades de encontrar una molécula de la sustancia original son muy escasas; este hecho, tal vez más que cualquier otro, ha provocado que la homeopatía sea vista con bastante escepticismo por parte de los "científicos" de la profesión médica ortodoxa. Si no hay sustancia en la potencia, ¿cómo puede tener efecto? Cualquier resultado obtenido sin duda es producto de la imaginación del médico, el paciente o ambos.

No obstante, en el pasado se reconoció la validez de muchas observaciones antes de encontrar un argumento lógico o racional para explicarlas. Sólo porque algo nos parece ilógico en este momento no significa que, necesariamente, carezca de validez. Con los logros actuales en el campo de la física, es posible que muy pronto encontremos una explicación de los efectos de las potencias homeopáticas.

La labor en la rama de la investigación homeopática puede dividirse en tres grandes categorías:

- Investigaciones sobre la posible naturaleza de las potencias homeopáticas.
- Estudios experimentales de laboratorio.
- Pruebas clínicas.

1. Investigaciones sobre la posible naturaleza de las potencias homeopáticas

Durante muchos años, la labor en este campo ha sido obstaculizada por la falta de técnicas lo bastante sensibles para detectar cambios en las soluciones a estudiar, y por la concepción rígida y simplista de la naturaleza de las soluciones. Al hablar de soluciones, tendemos a pensar que el soluto (la sustancia disuelta) es lo único importante, mientras que el solvente (la sustancia que disuelve) es inerte, excepto por su capacidad para disolver al soluto. La propuesta de que el solvente tiene un papel importante por sí solo, aun cuando no ocurra una reacción química comprobable, ha sido abandonada casi por completo.

El agua es el solvente más importante que conocemos; compone el 70 a 80% del cuerpo de todos los seres vivos –y sería imposible que hubiera vida como la conocemos sin agua. Todas las reacciones bioquímicas que ocurren en las células vivas se realizan en soluciones de agua, o en organelos celulares (pequeños componentes celulares) rodeados de agua. El agua y el bióxido de carbono son los dos elementos a partir de los cuales las plantas verdes producen azúcares, las cuales sufren transformaciones ulteriores en las células vegetales y animales hasta convertirse en la increíble variedad de moléculas de carbohidratos que existen en el mundo natural.

Desde hace más o menos medio siglo se sabe que el agua es una sustancia muy extraña que presenta muchas características anómalas e inesperadas, ya mencionadas en el capítulo 7. Aceptamos sin pensar las anomalías del agua porque son una experiencia cotidiana y común; todos sabemos que el hielo flota en la superficie de un estanque, aunque los cristales formados por cualquier otro líquido suelen hundirse. Si el hielo no flotara, la vida en el estanque no podría sobrevivir al invierno, lo que se traduce en que la vida misma no habría logrado sobrevivir en nuestros climas.

Hoy se cree que las propiedades peculiares del agua se deben a lo que conocemos como enlaces de hidrógeno; esto quiere decir que el agua no está compuesta de moléculas individuales que flotan libremente, sino que las moléculas están unidas entre sí. Los dos átomos de hidrógeno y el átomo de oxígeno que componen la molécula de agua crean fuertes enlaces covalentes (figura 7, página 113); sin embargo, los átomos de hidrógeno pueden crear otros enlaces más débiles con otros átomos de oxígeno o nitrógeno, uniendo así varias moléculas de agua. De este modo, es posible reunir cualquier número de moléculas de agua para dar origen a polímeros de agua (grupos de moléculas ligadas) de distintos tamaños. Los polímeros se forman al juntar grandes cantidades de moléculas semejantes, y varios de ellos se han convertido en nombres conocidos por todos: nylón, polietileno, alcateno y acrilán son polímeros formados por moléculas orgánicas. El mundo de los plásticos es, en realidad, un mundo de polímeros.

Las diversas formas de estudiar el agua sugieren que se encuentra en esta misma categoría —es decir, que el agua es un líquido que contiene racimos de polímeros de agua de diversos tamaños[1,2] que se encuentran en constante cambio y movimiento. Cuanto más cercana sea la temperatura al punto de congelación, mayor continuidad tendrá la red de moléculas de agua asociadas.[3] Esto fue analizado ya en el capítulo 7.

También se ha sugerido[4] que el agrupamiento o los racimos de moléculas de agua tienen efecto en cualquier sustancia biológica al encontrarse disuelta o contenida dentro de ella; por consiguiente, las complejas formas que adoptan las moléculas de proteína en el organismo pueden deberse, por lo menos en parte, a los efectos estructurales del agua. Se han mencionado paralelismos interesantes entre los patrones de vórtice que produce el agua en movimiento —que observamos con facilidad cuando un delgado chorro de agua coloreada fluye dentro de un volumen mayor de agua clara y en reposo, o cuando sube el vapor de un baño caliente— y el patrón espiral de los cuernos de muchas especies animales.[5] Es muy posible que la capacidad del agua para influir en la estructura de las formas biológicas sea mucho mayor de lo que suponemos.

Otro aspecto interesante del agua es su capacidad para formar distintos patrones cristalinos, como las diferentes formas de cristales que aparecen en el hielo y la nieve en distintas condiciones climáticas y la diversidad de hielos que pueden producirse con presiones elevadas. Ya en 1949, P.W. Bridgman[6] demostró que el agua podía cristalizarse en distintos patrones al congelarla a diferentes presiones barométricas, resultando un patrón específico para cada presión.

158

Con estos antecedentes de un solvente anómalo que posee cierta clase de efecto de patrón, debemos analizar el caso de las potencias homeopáticas las cuales, de manera habitual, se diluyen en una mezcla de agua y alcohol –17% de agua y 83% de alcohol. Primero es necesario triturar las sustancias insolubles combinadas con lactosa (un azúcar supuestamente inerte que tiene cristales duros y abrasivos) a la tercera dilución centesimal, después de lo cual se vuelven solubles en la mezcla agua/alcohol y producen una solución coloide. Es interesante notar que Hahnemann descubrió este método para disolver sustancias insolubles como oro, plata, platino y otros metales, mucho antes que la química coloidal encontrase la forma de hacerlo.

Barnard[7,8] sugirió que cuando una sustancia se diluye en agua o en una mezcla de agua y alcohol, las moléculas de agua rodean a cada molécula de solvente en una disposición tridimensional, que es estereoespecífica para cada soluto –teoría que ha sido demostrada recientemente.[9] Barnard también afirmó que si se añadía energía a este sistema, los grupos estereoespecíficos de polímeros de agua podían lograr el equilibrio y unirse para formar largas cadenas de polímeros de agua que conservarían la huella original del soluto y su especificidad de forma.

Al preparar las potencias homeopáticas, la energía se introduce mediante el procedimiento de sucusión, en el cual la solución se somete a una serie de golpes repentinos y fuertes; en estas condiciones, el agua siempre contiene algo de aire disuelto. Se ha demostrado[10] que si comprimimos repentinamente pequeñas burbujas de gas en un líquido, el gas sufre cambios de temperatura muy grandes, del orden de varios miles de grados centígrados. A estas temperaturas, varias moléculas de agua se dividirían y sus componentes estarían disponibles para cualquier reacción química o física inmediata al estallido de la burbuja. Se piensa que este fenómeno explica la exagerada corrosión de las hélices de los barcos y el hallazgo de ácido nítrico en el agua pura (en cantidades mínimas) al hacerla pasar por pequeños orificios a presiones elevadas; también podría explicar que el nitrógeno se fije en las costas donde hay turbulencia constante provocada por el incesante romper de las olas en la playa.

Barnard dijo que la energía introducida en la potencia homeopática mediante la sucusión servía para estabilizar la distribución de los polímeros de agua y que eran estos polímeros de forma específica los que se replicaban y transmitían de una potencia a la siguiente; también postuló que se fracturaban al alcanzar cierta longitud y producían varias cadenas más cortas de polímeros estereoespecíficos, que a su vez volvían a crecer al continuar el procedimiento de potenciación. Según esta teoría, ciertas potencias conservan más moléculas estereoespecíficas que otras, y algunas contienen cadenas de polímeros más largas que las demás, de tal manera que cabría esperar que el tratamiento con ciertas potencias sea más eficaz que con otras. Los polímeros estereoespecíficos continúan su paso de una potencia a la siguiente, aun después de la desaparición del soluto original de la solución. La afirmación de Barnard de que las soluciones sucusadas manifestaban una mayor viscosidad que las diluciones simples equivalentes, preparadas sin sucusión, ofrece algunas pruebas de que las potencias homeopáticas contienen, realmente, moléculas de cadena larga.

Heintz[11] ofreció más pruebas de la existencia de macromoléculas al obtener los patrones infrarrojos de absorción de las soluciones sucusadas, los cuales sugieren que había producción de polímeros en el solvente. Este efecto no es uniforme en todas las potencias, sino que presenta algunas curvas de actividad donde algunas potencias tienen mayor absorción que otras (figura 11). Este efecto desigual puede destruirse al poner a hervir las soluciones, proceso que también podría acabar con los polímeros de agua de cadena larga. No se observaron curvas en las diluciones simples preparadas sin sucusión.

160

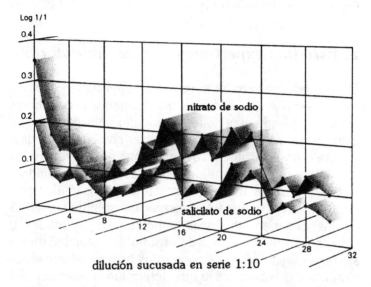

Figura 11. Espectro infrarrojo de la absorción de soluciones sucusadas de nitrato y salicilato de sodio.

Otros investigadores deben repetir los estudios infrarrojos de absorción de Heintz y los estudios de viscosidad de Barnard, pero los resultados sugieren la presencia de polímeros en las potencias. La misma conclusión se puede derivar de los estudios nucleares de giro de resonancia magnética[12] –trabajo que también requiere de verificación.

La creciente sensibilidad de las técnicas actuales ofrece una oportunidad sin precedentes para investigar con mayor profundidad la naturaleza de las potencias homeopáticas. Cabe esperar que al demostrar, con bases científicas, la acción de una potencia desaparecerá gran parte del escepticismo hacia la homeopatía. Los resultados obtenidos hasta ahora sugieren que los polímeros de agua estereoespecíficos de cadena larga podrían ser

161

los responsables de producir los efectos fisiológicos y farmacológicos de las potencias homeopáticas. En el capítulo 7 se analiza un probable mecanismo de acción.

2. Estudios experimentales de laboratorio

En la medicina ortodoxa, estos estudios suelen llevarse a cabo con plantas, animales, microorganismos y cultivos celulares. Desde el principio, cualquier investigador que estudie los remedios homeopáticos con estos medios encara el grave problema de seleccionar el remedio, o los remedios, que debe utilizar con el espécimen elegido. Las potencias homeopáticas fueron ensayadas con voluntarios humanos y la información reunida se derivó de las experiencias físicas, emocionales, mentales y psicológicas de los sujetos de estudio. La totalidad de los síntomas, incluidas las importantes características emocionales y mentales, es lo que determina la selección del remedio. Los animales pueden experimentar cambios físicos y emocionales, sino es que mentales, pero es necesario realizar una observación cuidadosa del animal, porque no es fácil determinar sus sensaciones ni la forma como han variado sus percepciones y emociones. No obstante, la homeopatía tiene gran utilidad en la práctica veterinaria y, en teoría, es posible diseñar pruebas adecuadas en animales para estudiar, por lo menos, algunos remedios homeopáticos.

Por lo que respecta a plantas, microorganismos y sistemas de cultivo tisular, el cuadro medicamentoso del remedio obtenido de pacientes humanos no tiene aplicación alguna, y se han realizado experimentos de prueba y error para determinar si un remedio específico tiene algún efecto en plantas o microorganismos determinados. En consecuencia, el fracaso de estos ensayos para demostrar el efecto de los remedios homeopáticos puede deberse tanto a una inadecuada selección de remedios para el modelo en estudio como a la posibilidad de que

162

el remedio carezca de actividad real, o tal vez a que la homeopatía es sólo cuestión de imaginación, fe ciega y charlatanería.

Sin embargo, a pesar de estas dificultades, varios investigadores han demostrado con éxito los efectos de los remedios homeopáticos en condiciones experimentales. Uno de los primeros fue L. Kolisko,[13] de Suiza, quien publicó, en 1923, los resultados de sus estudios con diversas potencias en el crecimiento de las plantas; los experimentos demostraron curvas en la actividad con distintas potencias, algo semejante al espectro infrarrojo de absorción demostrado después por Heintz y postulado en la teoría de Barnard. Estos resultados quedaron confirmados con el meticuloso trabajo del doctor W.E. Boyd, en Glasgow,[14] quien utilizó potencias de cloruro de mercurio y la enzima diastasa, que convierte el almidón en azúcar. Se eligió el cloruro de mercurio porque es una sustancia que inhibe el crecimiento, y Boyd descubrió que las potencias de preparación homeopática aceleraban el proceso con que la diastasa convierte al almidón comparándolas con controles que no contenían una potencia de cloruro de mercurio. Es interesante notar que un inhibidor del crecimiento en potencia puede estimular la actividad de una enzima. Estos experimentos fueron repetidos varias veces con resultados semejantes, lo que se traduce en una gran significancia estadística.

Los experimentos de Kolisko y Boyd fueron muy detallados y otros investigadores no pudieron replicarlos, debido al complicado aparato experimental requerido. Algunos científicos[15,16,17] obtuvieron resultados opuestos con potencias de cloruro de cobre y sulfhidrato de hierro utilizados en semillas de berro, y otros[18,19] afirman que el cloruro de mercurio tiene efecto en los linfoblastos (una variedad de glóbulo blanco) en cultivos tisulares, resultado que no ha sido confirmado por otros.[20] Se ha dicho que las algas envenenadas parcialmente con sulfato de cobre presentan un crecimiento más acelerado al tratarlas con la trigésima potencia de sulfato de cobre[21,22], aunque Moss[23] no pudo repetir el experimento. Sin embargo, este mismo autor[24] descubrió que algunos remedios potenciados tuvieron efecto en los macrófagos (glóbulos blancos) de ciertas cepas de conejillos de Indias, así como en los macrófagos de un sujeto humano, aunque no en todos los casos. Estos resultados concuerdan con la idea de que no todos responden al mismo remedio, pues ciertos individuos son más susceptibles a uno que otros en quienes no está indicado; este aparente conflicto de resultados bien podría sugerir que distintas cepas o variedades de la misma especie de planta también pueden presentar diferentes patrones de respuesta al mismo remedio homeopático, lo cual resaltaría la complicación de utilizar modelos animales o vegetales en una situación donde, aun con un paciente cooperativo que ofrezca toda su historia clínica, la selección de un remedio puede ser en extremo complicada.

Tal vez los resultados experimentales más alentadores se obtuvieron en Suiza con los trabajos de W. Pelikan y G. Unger, publicados en inglés en 1965.[25] Estos investigadores informaron de los efectos de diversas potencias de nitrato de plata (*Argentum nitricum*) en el crecimiento de brotes de trigo, los cuales dieron resultados replicables durante un periodo experimental de un año. Con potencias de 8X a 19X, los suizos trazaron gráficas de crecimiento contra potencia con curvas semejantes a las obtenidas por Kolisko y anticipadas en la teoría de Barnard. Este trabajo fue confirmado por R.L. Jones y M.D. Jenkins, en Londres,[26] donde utilizaron diversos remedios que incluían nitrato de plata, árnica, carbonato de potasio (*Kali carbonicum*), actea racemosa, brionia y nux vomica, para afectar el crecimiento de los brotes de trigo. Hubo diferencias significativas entre los controles y algunas potencias, y los resultados son replicables. Con una variedad de potencias de árnica de 6C a 24C, el trazo de crecimiento contra potencia produjo curvas de respuesta similares.

Estos autores compararon después los efectos de las

164

potencias homeopáticas en los brotes de trigo con los observables en cultivos de levadura, y obtuvieron resultados parecidos.[27] Su conclusión fue que la levadura es un modelo experimental tan confiable como el trigo, con la ventaja de un crecimiento más acelerado y, por ende, resultados más rápidos. Con el modelo de levadura, han demostrado los distintos efectos de diversos grados de sucusión, y también la importancia que tiene el periodo de reposo entre la última sucusión y la toma de muestra para la dilución de la siguiente potencia.[28] A la fecha, los resultados parecen indicar que es necesario un periodo mínimo de reposo de tres minutos entre una dilución y la siguiente; quizá este lapso sea el necesario para que los polímeros de cadena larga alcancen su estabilidad después del procedimiento de sucusión.

Mientras estos investigadores repetían con éxito su experimento, otros científicos de Yorkshire[29] no pudieron reproducirlo. No obstante, en los últimos ensayos se utilizó una cepa de levadura distinta a la que emplearon Jones y Jenkins, y esto podría ser otro ejemplo de la mayor sensibilidad de la cepa de un organismo a determinados remedios homeopáticos. Además, con excepción del nitrato de plata, los remedios utilizados en el segundo experimento fueron diferentes de los que probaron Jones y Jenkins, y es posible que la selección no haya sido correcta.

Se han realizado menos experimentos con animales, pero los trabajos más recientes de India[30] han demostrado que algunos remedios homeopáticos de diversas potencias tuvieron actividad antiviral en embriones de pollo, mientras que otros remedios no ejercieron efecto antiviral en ratones.

Los experimentos en animales no son característicos de la investigación homeopática y muchas personas opinan que sólo es ético realizar estos estudios cuando los animales pueden derivar beneficios, como en el caso de la medicina veterinaria. No obstante, en Francia se han realizado contadas investigaciones en animales. Los trabajos realizados en 1955[31] demostraron que las potencias de arsénico podían aumentar la eliminación de este veneno en conejillos de Indias intoxicados con arsénico; un trabajo más reciente,[32] de los laboratorios Boiron, en Lyon, sugieren que una potencia 7C de *Arsenicum album* provocó la eliminación significativa de arsénico en ratas envenenadas comparada con una potencia 7C de agua, usada como control, lo que confirma los resultados obtenidos con conejillos de Indias.

La idea de utilizar una potencia homeopática de veneno para contrarrestar los efectos del mismo –es decir, la isopatía– ha llegado al estudio de los efectos de potencias de mercurio en el envenenamiento con este metal. Los investigadores de los laboratorios Boiron, utilizando cultivos de fibroblastos (células del tejido fibroso) de la piel de humanos intoxicados con mercurio, obtuvieron efectos de protección con algunas potencias de *Mercurius corrosivus* en comparación con agua potenciada al mismo nivel.[33]

Otros trabajos de los laboratorios Boiron[34] sugieren que el gelsemium, usado en tintura y potencia, puede afectar la velocidad de inactivación cerebral de las sustancias químicas que se encargan de transmitir los impulsos nerviosos. Este interesante trabajo plantea otras posibilidades de investigación, debido a que el gelsemium (jazmín) es una planta en extremo venenosa que afecta al sistema nervioso central y provoca temblores y contracturas musculares, así como problemas de coordinación y, finalmente, parálisis.

El gelsemium, en su cuadro, tiene dolor muscular y rigidez del cuello, debilidad y temblor de piernas, estremecimientos y escalofrío, dolor occipital, visión doble, depresión y apatía; el cuadro también incluye pánico escénico, pérdida de memoria y diarrea. El gelsemium, por tanto, sería un remedio apropiado para los experimentos neurológicos.

En el campo de las respuestas alérgicas, se utilizaron potencias homeopáticas de histamina (histaminum 7C) y miel de abeja (*Apis mellifica*) por su efecto en la desgranulación de los basófilos; los basófilos son una variedad de glóbulos blancos y sus gránulos contienen histamina, una de las sustancias responsables de la producción de la respuesta alérgica. La desgranulación de los basófilos se observa inmediatamente después a una reacción de hipersensibilidad (una variante de la respuesta alérgica) y hay liberación de histamina, lo que explica diversas características de esta reacción.

Los investigadores franceses[35] observaron que las potencias de histaminum y *Apis mellifica* podían impedir la desgranulación de los basófilos sensibilizados al ser incubados con el alergeno adecuado; esta respuesta podría justificar el uso de estos remedios en el tratamiento de respuestas alérgicas generalizadas y picaduras de abejas, respectivamente.

Aunque no ha sido repetido por otros investigadores, este trabajo francés tal vez demuestre los efectos *in vitro* de las potencias homeopáticas, si bien bajas, en una gran variedad de situaciones experimentales. Los modelos utilizados fueron bien elegidos para el remedio en estudio y podrían fomentar el desarrollo de experimentos adicionales en este campo.

Otro sistema útil en el estudio experimental podría ser el de las diversas etapas de la síntesis de prostaglandinas. En vista de los múltiples efectos metabólicos que produce un defecto en esta vía, la síntesis de prostaglandinas sería de gran utilidad en el estudio de policrestos —es decir, los remedios que tienen un amplio campo de acción como *Natrum muriaticum*, sílice, sepia, licopodio, azufre, fósforo o lachesis, por mencionar algunos.

3. Pruebas clínicas

Aunque la práctica de la homeopatía tiene casi doscientos años en muchos países del mundo, se han realizado muy pocos estudios en pruebas clínicas bien conducidas para determinar y comprobar su eficacia. Esto se debe, sin duda, al hecho de que muchos de los interesados en la homeopatía se conforman con tratar a sus pacientes y no cuentan con la experiencia o el interés científico necesario para diseñar e implementar una prueba clínica.

Otra causa es la dificultad para diseñar una prueba homeopática bien controlada. En los estudios convencionales para valorar la eficacia de un nuevo medicamento, el fármaco se administra a un grupo de pacientes que sufren de una enfermedad específica, y se comparan los efectos con los obtenidos en un grupo equivalente de enfermos que recibieron un medicamento inocuo (placebo). El diseño es bastante sencillo debido a que en la práctica ortodoxa el tratamiento está determinado por la categoría de la enfermedad; por consiguiente, es posible administrar el mismo fármaco a todos los enfermos en igualdad de condiciones, aun cuando en la medicina convencional no todos los pacientes responden al tratamiento.

Por otra parte, en el enfoque homeopático el tratamiento está determinado no por la enfermedad del paciente, sino por su respuesta al padecimiento, es decir, la totalidad del cuadro de síntomas. Por esta razón, un médico homeópata tendrá que utilizar diversos remedios en el tratamiento de un mismo padecimiento; de hecho, es posible que un mismo paciente requiera de más de un remedio en las distintas etapas del programa terapéutico. En contraste, el mismo remedio homeopático puede servir para tratar diversos padecimientos si los pacientes responden a su enfermedad de una manera similar. Por consiguiente, es imposible realizar una prueba clínica para un remedio homeopático determinado, como sucede con el medicamento ortodoxo y el placebo, aunque algunos investigadores lo han intentado. Además, realizar una prueba de homeopatía en su totalidad contra un placebo o un medicamento ortodoxo conlleva algunos problemas y provocaría críticas.

Una situación de estudio más sencilla sería la alergia.

En este campo, el padecimiento puede tratarse con una potencia de la sustancia que ocasiona la alergia, como el polvo doméstico en los casos de alergia al ácaro del polvo doméstico, los pólenes de hierba en la fiebre del heno, el cloroformo en la alergia al cloroformo (como en el ejemplo del técnico que aparece descrito en el capítulo 1) y otros más. En estas situaciones, el mismo remedio se utiliza en todos los casos del padecimiento.

Hace algunos años,[36] se realizó un estudio de la eficacia del tratamiento de pacientes alérgicos al ácaro del polvo doméstico utilizando una combinación de exclusión de ácaro y una potencia 200C de polvo doméstico; no fue una prueba controlada, sino una valoración retrospectiva de los enfermos tratados durante los siete años anteriores. Tampoco fue una valoración exclusivamente homeopática, sino de homeopatía combinada con una prevención contra la exposición al organismo sensibilizador.

Los resultados del tratamiento combinado fueron muy alentadores: 85% de los niños y 79% de los adultos se beneficiaron con la terapia. Al iniciar el estudio clínico, se descubrió que el tratamiento con polvo doméstico 200, por sí solo, era menos eficaz y duradero que la combinación con el programa preventivo, pero debido a la naturaleza del estudio, fue imposible determinar la proporción del beneficio que es atribuible a cada medida por separado.

Un estudio más reciente[37] en el campo de la alergia fue una prueba piloto doble ciego sobre la eficacia del polen mixto 30C en la fiebre del heno; los resultados del estudio fueron alentadores y los beneficios de la potencia tuvieron significancia estadística. Una prueba de seguimiento posterior tuvo resultados parecidos.[38]

A pesar de las dificultades, hay pruebas clínicas sobre los efectos del tratamiento homeopático en enfermedades crónicas –como la artritis reumatoide. En una prueba piloto,[39] los resultados del tratamiento con homeopatía en un grupo de pacientes fueron comparados con los resultados del tratamiento con aspirina en un grupo ligeramente menor, pero en igualdad de condiciones. Después de un año, el grupo que recibió tratamiento homeopático se encontraba mejor que el tratado con aspirina, pues dos terceras partes de los enfermos habían mejorado sus condiciones, en tanto que ninguno de los enfermos que recibió aspirina había mejorado y la mayoría abandonó la prueba, debido a los efectos colaterales indeseables o por el fracaso terapéutico.

Esta prueba tuvo un seguimiento de doble ciego con control de placebo[40,41], en el cual veintitrés pacientes recibieron tratamiento homeopático y fueron comparados con veintitrés pacientes parecidos que tomaron un placebo; además, todos los enfermos tomaban medicamentos antiinflamatorios, no esteroides, convencionales –equivalentes en los dos grupos. Hubo una mejoría significativa de la rigidez, el dolor y la capacidad funcional en el grupo que recibió tratamiento homeopático comparado con el grupo placebo. No hubo mejorías en los pacientes que tomaron placebo, a pesar de que tenían un tratamiento ortodoxo completo de primera línea.

Una prueba más reciente en osteoartritis[42] no demostró los efectos de *Rhus toxicodendron* al compararlo con un placebo. Esta prueba pretendía aplicar el modelo ortodoxo y comparar un remedio único contra un placebo. Sin embargo, los parámetros utilizados para la selección de pacientes habrían permitido el uso de otros muchos remedios además de *Rhus toxicodendron*, y las posibilidades de que un paciente respondiera al remedio homeopático fueron las mismas que cabría esperar de la casualidad. En una prueba así, con el número de pacientes seleccionados, habría sido sorprendente que *Rhus toxicodendron* tuviera un efecto estadísticamente significativo.

Hasta el momento, en el campo de la investigación homeopática, diversos modelos de laboratorio y clínicos ofrecen resultados alentadores e interesantes que demuestran los efectos de las potencias homeopáticas. No es sorprendente que los resultados obtenidos de un trabajo no sean fáciles de repetir por un segundo grupo; gran parte del trabajo de laboratorio realizado en otros campos ha sido imposible de reproducir y muchas pruebas clínicas ortodoxas suelen producir resultados conflictivos. Una explicación bien podría ser la incapacidad de reproducir en laboratorio, y con exactitud, las condiciones en que se realizó el experimento inicial; todo sistema vivo es en extremo complejo y está sometido a múltiples influencias ambientales, muchas de las cuales no han recibido pleno reconocimiento. Hay factores tan sutiles como el clima, la época del año y las fases lunares —en los cuales hay variaciones individuales de respuesta que forman parte del cuadro medicamentoso de diversos remedios homeopáticos— que podrían tener alguna relación.

Asimismo, los factores hereditarios son importantes. La investigación ortodoxa siempre toma en consideración que aunque algunas cepas de animales de laboratorio se reproducen entre sí para garantizar una respuesta constante, en lo que cabe, es imposible lograr la homogeneidad absoluta, y esta semejanza genética es aún más difícil de obtener en las plantas. Cuando se trata de aspectos más sutiles como respuestas y sensibilidad a los remedios homeopáticos, la más ligera variación de cepa puede ocasionar tal cambio de sensibilidad en las especies en estudio que una cepa puede responder bien a un remedio particular mientras que otra, aparentemente similar, no responde en absoluto. Este problema puede ser la causa de muchos resultados conflictivos derivados de experimentos con plantas.

Si para cumplir con los requisitos de las organizaciones de salud sobre la legislación de medicamentos es necesario realizar pruebas con remedios homeopáticos utilizando modelos doble ciego, la principal ventaja de la experimentación con remedios es su suave mecanismo de acción y la ausencia de efectos secundarios dañinos que, por desgracia, suelen ocurrir con muchos fármacos ortodoxos.

Un factor adicional que puede afectar el resultado de un experimento es la actitud mental del experimentador. Se ha demostrado que las expectativas influyen en el resultado de la prueba doble ciego mejor controlada,[43] ya sea de manera positiva o negativa. Estas actitudes mentales pueden ser del todo inconscientes y, por ello, difíciles o imposibles de eliminar.

Las investigaciones realizadas hasta el momento han establecido algunas ideas y modelos útiles que requieren de estudios adicionales, así como los lineamientos para las futuras pruebas clínicas. En un futuro próximo, el refinamiento de la técnica y el diseño de las pruebas clínicas podría preparar el terreno para gran cantidad de investigaciones muy interesantes y provechosas para la homeopatía.

10. Preguntas y respuestas

Como la homeopatía es casi desconocida para la mayoría de la gente, suele haber muchas preguntas sobre el tema. Con los años, se ha hecho evidente que ciertas interrogantes son más frecuentes que otras, así que hemos reunido una muestra representativa para presentarla a continuación. Aunque muchas preguntas ya fueron respondidas con detalle en el presente libro, volvemos a incluirlas en estas páginas, de forma más concreta, para fácil referencia.

1. ¿Qué es la homeopatía?

La homeopatía es un proceso de curación natural en el que se utilizan remedios para ayudar al cuerpo a curarse mediante la estimulación de sus capacidades curativas naturales. El nombre se deriva de dos vocablos griegos y significa tratamiento con iguales; esto quiere decir que cuando un paciente recibe tratamiento homeopático, se administra una sustancia que produce, en una persona sana, los mismos signos y síntomas que experimenta el enfermo.

2. ¿Qué clase de sustancias se utilizan?

Los remedios que usa la homeopatía se derivan, en su mayor parte, de los reinos mineral, vegetal y animal. Con menos frecuencia se utilizan productos derivados de enfermedades específicas como sarampión, varicela, tos ferina, sífilis, gonorrea, cáncer, etcétera, para crear la nosoda correspondiente. Estas nosodas a veces son necesarias para eliminar los efectos colaterales de las infecciones específicas o los rasgos hereditarios transmitidos de un antecesor infectado antes que los otros remedios puedan actuar para resolver el caso. En casos específicos, es posible crear remedios con antígenos particulares, si acaso el remedio no se encuentra incluido ya en la *materia medica*, o también de medicamentos ortodoxos especiales, si los pacientes son sensibles a ellos; algunos ejemplos son el cloroformo, la penicilina y la cortisona.

3. ¿Cómo funciona la homeopatía?

La respuesta breve a esta pregunta es que no sabemos cómo funcionan los remedios homeopáticos, como tampoco conocemos cómo actúan la mayor parte de los medicamentos ortodoxos. Sin embargo, se ha postulado que los remedios pueden operan en el metabolismo básico del cuerpo, quizá restableciendo la armonía de las respuestas inmunitarias o eliminando las alteraciones en los mecanismos básicos que controlan las funciones orgánicas. La acción depende de la capacidad del remedio para estimular al cuerpo y hacerlo producir una respuesta curativa —o, dicho de otra forma, depende de la capacidad del organismo para efectuar una respuesta curativa. Si la vitalidad del cuerpo se encuentra reducida, o si su capacidad reactiva está reprimida debido a una prolongada exposición a medicamentos esteroides, los remedios homeopáticos suelen perder su eficacia.

4. ¿En qué difiere la homeopatía de la medicina ortodoxa?

Los medicamentos ortodoxos suelen ser paliativos más que curativos; ayudan al paciente mediante el alivio de los síntomas o reemplazando las carencias orgánicas de ciertas sustancias, como hormonas o vitaminas. Por su parte, la homeopatía estimula al cuerpo para que efectúe su propia curación, y la administración de sus remedios

174

puede ser realmente curativa. Por consiguiente, los dos sistemas actúan desde diferentes puntos de vista.

5. Me preocupan los efectos colaterales de algunos medicamentos ortodoxos. ¿También los hay en la medicina homeopática?

No, la homeopatía no suele tener efectos tóxicos colaterales. Aunque muchos remedios homeopáticos son venenos en su forma cruda, el proceso de potenciación con que se preparan los remedios homeopáticos separa el efecto curativo de la sustancia —la calidad del remedio— de los efectos tóxicos, que suelen estar determinados por la cantidad. Por ello, los remedios no tienen efectos colaterales en el sentido más amplio del término.

No obstante, pueden producir un agravamiento; esto es una intensificación de los signos y síntomas que puede resultar desagradable, e incluso alarmante, para el paciente. Tal situación se presenta con mayor frecuencia al utilizar potencias muy elevadas (es decir, una potencia muy fuerte), y los síntomas emergen o son exteriorizados con excesiva celeridad, lo que impide que el cuerpo pueda adaptarse. Los síntomas fluyen en dirección opuesta a la supresión y esto es indispensable para lograr una curación duradera. El agravamiento suele ser de corta duración y, aun cuando ocurre, el paciente a menudo manifiesta mejoría; al agravamiento le sigue una mejoría sustancial del padecimiento del enfermo.

6. ¿Hay agravamiento en todos los casos?

No; en condiciones ideales, la curación debe ocurrir sin que haya agravamiento. Esta condición se presenta cuando no se ha administrado la potencia óptima y los síntomas aparecen con excesiva rapidez, impidiendo que el cuerpo los resuelva de una manera armónica; la administración de una potencia excesiva, con exagerada energía, equivale a cascar una nuez con un mazo, en vez de utilizar un cascanueces. Sin embargo, el resultado

175

final suele ser benéfico, pues el agravamiento va seguido de una respuesta curativa.

7. ¿Cuánto tiempo ha existido la medicina homeopática?

La homeopatía tiene una carrera de casi doscientos años. Fue formulada por el doctor Samuel Hahnemann, médico alemán, en el año 1806; no obstante, el principio del tratamiento con similares fue propuesto por Hipócrates en el siglo v a.c, mas fue olvidado durante cientos de años hasta el redescubrimiento de Hahnemann.

8. ¿Cómo empezó?

La historia dice que todo se inició cuando Hahnemann traducía un tratado de *materia medica* escrito por el médico escocés William Cullen, en el cual había una sección que hablaba del uso de la corteza de chinchona (también conocida como corteza peruana) para obtener la quinina necesaria para el tratamiento de la malaria. Hahnemann no estuvo de acuerdo con la hipótesis de Cullen sobre el mecanismo de acción de la chinchona y decidió probarla en sí mismo para conocer los efectos. Con asombro descubrió que le había ocasionado los signos y síntomas de la enfermedad que debía curar, la malaria, que en aquellos días era conocida como fiebre intermitente. Hahnemann prosiguió estudiando el efecto de otras sustancias medicinales en personas sanas, y después de documentar los resultados, utilizó los medicamentos para tratar a quienes presentaban ese patrón de signos y síntomas. A partir de estos estudios, enunció el principio de curación con similares.

9. ¿Ha cambiado mucho desde la época de Hahnemann?

Desde entonces, la *materia medica* homeopática ha sido ampliada considerablemente para incluir un número creciente de remedios comprobados. También se han

176

agregado nuevas nosodas al armamentario, así como remedios especiales preparados a partir de antígenos específicos y sustancias tóxicas. Los principios de la homeopatía, como los estableció Hahnemann, tienen en la actualidad la misma validez que tuvieron en el pasado; no obstante, se han desarrollado diversas escuelas teóricas, siendo las principales, en Inglaterra, la escuela de baja potencia de Hughes y la de alta potencia de Kent. Otras escuelas han surgido también en América Latina, como la de Masi y Ortega, pero todavía no se ha demostrado que tengan mayor eficacia que los lineamientos establecidos por Hahnemann en su sexta edición del *Organon of Rational Healing*.

10. *¿Los medicamentos homeopáticos sirven para curar toda clase de enfermedades?*

Sí, con ciertas limitaciones. No hay clase alguna de enfermedad en que no pueda utilizarse la homeopatía, aunque si el padecimiento ha evolucionado hasta requerir de una intervención quirúrgica, por ejemplo, este procedimiento no debe aplazarse. Según el grado de daño irreversible que exista, los resultados del tratamiento homeopático pueden variar desde mínimos hasta espectaculares. Los remedios para lesiones son excelentes en casos de daños y accidentes, y aun cuando está indicada una cirugía, pueden ayudar a reducir el periodo posoperatorio y acelerar el proceso de recuperación.

11. *¿La homeopatía ayuda en casos de alergia?*

Sí, esto es definitivo. La administración de alergenos potenciados, en la mayoría de los casos, es muy exitosa en el alivio de los síntomas de la alergia. Para una cura más profunda, este tratamiento debe ir acompañado de un remedio constitucional.

12. *¿La homeopatía es útil en enfermedades crónicas?*

177

Una vez más, la respuesta es afirmativa. En muchos casos, el tratamiento homeopático tiene mayor éxito que la terapia ortodoxa, y logra resultados que parecerían imposibles con un tratamiento convencional. Gran parte de este éxito se debe a la capacidad de los remedios homeopáticos para tratar los factores que precipitaron la enfermedad, remontándose en el pasado clínico del enfermo y sus predisposiciones genéticas.

13. *¿La homeopatía tiene utilidad en enfermedades que ponen en peligro la vida –por ejemplo, el cáncer?*

El cáncer no es el único padecimiento mortal que existe; muchas enfermedades agudas, estados de choque y otros pueden ser tratados con homeopatía. En el caso del cáncer, lo más aconsejable es un tratamiento multidisciplinario. Siempre hay que eliminar cualquier factor ambiental posible, y hacer énfasis en la dieta. La homeopatía mejora el funcionamiento del organismo y el remedio antroposófico iscador –preparado con muérdago y parecido al *Viscosum album* de la *materia medica* homeopática– puede ser útil en varias formas de cáncer. No obstante, muchos cánceres no responden al tratamiento en este nivel; aunque la homeopatía puede funcionar en regiones profundas del cuerpo, y afectar los niveles emocional, mental y espiritual, tal vez sea necesario recurrir a terapias más específicas destinadas al desarrollo de los aspectos espirituales del ser humano, pues a menudo el origen del problema canceroso se encuentra en este nivel. Las técnicas de meditación creativa tienen gran aplicación en estos casos.

14. *¿La homeopatía evita la necesidad de una operación?*

La respuesta a esta pregunta depende, en gran medida, del avance de la enfermedad. Si ha llegado al extremo de requerir de una cirugía, entonces no es posible demorar la intervención. En condiciones ideales habría que atacar el problema antes de que llegue a esta etapa y así, si se elige el remedio correcto, es posible evitar una intervención quirúrgica.

15. Si es necesaria una operación, ¿la homeopatía ayuda en algo?

Sí, por supuesto. Podemos administrar remedios antes y después de la operación para acelerar el proceso de curación y contrarrestar los efectos de la angustia, el choque y el anestésico. En general, los pacientes que reciben tratamiento homeopático tienen una recuperación más rápida que quienes no reciben esta clase de terapia.

16. ¿La homeopatía tiene riesgos para bebés y niños pequeños?

Ninguno, porque no tiene efectos tóxicos. Además, como los bebés y niños pequeños a menudo tienen un alto nivel de vitalidad, cabe esperar resultados excelentes en ellos.

17. ¿Qué sucede si un niño ingiere, accidentalmente, numerosas tabletas homeopáticas?

Nada; el cuerpo tomará esta situación como si hubiera recibido una dosis única. Si el remedio no es el indicado, el cuerpo lo ignorará y no tendrá efecto alguno, y si es el indicado, el único resultado será benéfico. Los síntomas se desarrollan sólo cuando se toma el remedio durante cierto tiempo.

18. ¿Los médicos homeópatas recetan antibióticos?

Sí, por supuesto. Cuando está indicado el uso de un antibiótico, sería negligencia que el médico no lo recetara. Empero, el médico homeópata también podría rece-

179

tar un remedio, además del antibiótico, con la indicación de que si el remedio no surte efecto en una o dos horas, hay que tomar el antibiótico. En la mayoría de los casos, si se administra el remedio correcto no será necesario utilizar el antibiótico.

19. ¿La homeopatía ayuda a los ancianos a conservar su actividad física y mental durante más tiempo?

Es difícil responder esta pregunta. Las personas que buscan tratamiento homeopático tienden, en general, a ser individuos de mentalidad abierta y dispuestos a reconocer las relaciones entre el hombre y la naturaleza. Esta gente, debido a sus intereses activos y estado mental, tienden a vivir más que otras personas menos activas y conscientes, pero que ésto se deba al tratamiento homeopático o sea producto de su estado mental, es discutible.

20. ¿Una persona puede recibir tratamiento homeopático si ya se encuentra en tratamiento con medicina ortodoxa?

Sí, a menudo no hay conflicto entre los dos enfoques. En las pruebas clínicas sobre reumatología, todos los pacientes que participaron en el estudio recibían medicamentos antiinflamatorios ortodoxos de primera línea al iniciar el estudio, aunque después del mismo, muchos pudieron interrumpir la terapia. La mayoría de los enfermos que acuden a hospitales y clínicas de consulta externa ya han recibido alguna clase de medicamento convencional. La única excepción a la regla es el uso prolongado de esteroides y medicamentos que afectan el sistema inmunitario, pues entorpecen la capacidad del cuerpo para responder y, a menudo, hacen que el tratamiento homeopático subsecuente sea muy difícil.

21. ¿Debo decir a mi médico que también tomo medicamentos homeopáticos?

180

Sí, debe hacerlo. En primer lugar, si le dan atención en el departamento de consulta externa de un hospital, el médico que le recibe debe escribir a su médico general para informarle del remedio que le está administrando. Segundo, es justo que su médico tenga conocimiento, porque si ocurre un cambio significativo en su estado con el uso de homeopatía, él podría pensar que equivocó el tratamiento si no sabe que usted recibe otras medicinas al mismo tiempo.

22. ¿Puedo recibir homeopatía en el NHS Sistema Nacional de Salud inglés)?

Sí, la homeopatía forma parte del NHS desde su introducción, en 1948. Sin embargo, no hay suficientes médicos homeópatas que cubran las demandas de esta forma de tratamiento, y muchas regiones del país (Inglaterra) no cuentan con un especialista homeópata.

23. ¿Resulta muy costoso recibir atención privada?

Esto varía un poco, según el entrenamiento y la experiencia del médico. Empero, las instituciones como la Manchester Homoeopathic Clinic tienen precios muy razonables y a la fecha empiezan a abrirse nuevas clínicas de esta especialidad. No obstante, como la consulta inicial puede demorar más de una hora, los honorarios dependerán de este tiempo.

24. ¿Cómo encuentro los lugares donde utilizan homeopatía?

La Facultad de Homeopatía (en Inglaterra) publica una lista de todos los médicos homeópatas que ejercen en este país y en el extranjero, así como las indicaciones pertinentes sobre la clase de atención que prestan, ya sea privada o en el NHS. Este folleto está a la venta en las oficinas de la Facultad y también en diversos hospitales y centros homeopáticos de Inglaterra. Si envía una carta y adjunta un sobre timbrado a uno de estos lugares, podrá informarse cual es su médico más cercano y dónde encontrarlo.

25. ¿La consulta con el médico homeópata es parecida a la visita de un médico general ortodoxo?

No mucho. Los médicos homeópatas necesitan gran cantidad de información del paciente, lo que puede requerir de más tiempo de consulta. En una clínica del NHS, ésto suele demorar diez o quince minutos, pero el médico promedio que atiende pacientes privados prefiere dedicar un promedio de una hora a la primera entrevista, para obtener una impresión más completa de diversos aspectos de su paciente. Muchas preguntas pueden extrañar un poco al neófito de la homeopatía, pues son cosas que el médico general no suele cuestionar. Cualquier revisión clínica necesaria será similar a la que realiza el médico ortodoxo.

26. ¿Son costosos los medicamentos y en dónde se consiguen? ¿Con qué frecuencia hay que tomarlos?

Los medicamentos no son caros; el costo varía, pero la receta homeopática promedio, en farmacia, tiene un precio inferior, y a veces mucho menor, que el de un medicamento regular ortodoxo. La frecuencia de la administración también varía: mayor frecuencia en un padecimiento agudo y menor frecuencia en uno crónico.

27. ¿Puedo usar la homeopatía en primeros auxilios en casa y automedicarme? De ser así, ¿cómo puedo aprender?

La homeopatía está muy indicada en los primeros auxilios y es posible automedicarse. En casos de accidente y situaciones agudas, su administración es más sencilla que el tratamiento de un padecimiento crónico. Bajo el auspicio de la Asociación Homeopática Británica (British

182

Homoeopathic Association), se ha creado un botiquín casero de remedios para situaciones agudas, que incluye instrucciones de uso. Incluyen remedios para lesiones y fiebres agudas, diarrea y vómito, sobresaltos intensos, sustos y otros estados repentinos y agudos. Se ha observado que cuando los pacientes obedecen las instrucciones, el número de visitas en casos agudos se reduce de manera notable. Estos botiquines son indispensables en todo hogar.

28. ¿Los medicamentos homeopáticos se preparan de alguna forma especial?

Sí. Es necesario tener mucho cuidado en la preparación de los remedios homeopáticos para evitar su contaminación y las plantas utilizadas deben crecer en condiciones orgánicas (naturales), alejadas de cualquier posible contaminante ambiental. Los procedimientos de dilución y sucusión son específicos de la homeopatía y no se utilizan en la preparación de otra clase de medicamentos, aunque los antroposofistas utilizan métodos semejantes para preparar los remedios y productos de la serie Weleda.

29. ¿La homeopatía es una ciencia?

La homeopatía está fundamentada en las observaciones derivadas de diversos estudios y en las investigaciones experimentales realizadas a partir de ellos. En este sentido, aunque suele ser calificada como empírica, podemos considerar que la homeopatía es una ciencia. El hecho de que hoy contemos con estudios de laboratorio y pruebas clínicas para confirmar su eficacia, es un argumento en favor.

30. ¿En qué se diferencia la homeopatía de la herbolaria?

Las dos disciplinas utilizan muchas plantas comunes, pero hay diferencias en la forma de recetar. Otra distinción es que los medicamentos de herbolaria no están sometidos al procedimiento de potenciación, como hace la homeopatía, sino que se administran en dosis materiales, a menudo en forma de tinturas. Los remedios homeopáticos también pueden utilizarse en tinturas, pero cuando se requieren dosis materiales, lo más habitual es administrar una dosis de potencia 3X o 6X. Asimismo, las recetas de herbolaria contienen más de un remedio; al parecer no importa que las sustancias se mezclen en el mismo preparado, en tanto que en la homeopatía clásica se insiste en no mezclar los remedios. Si hay que indicar más de uno, la homeopatía clásica propone que se administren por separado, para permitir que el cuerpo los asimile de manera individual. Sin embargo, en Europa continental se utilizan mezclas, aunque todavía no se ha evaluado la eficacia de esta técnica comparada con la administración de un remedio único.

31. ¿La homeopatía puede ayudar durante el embarazo?

Sí; muchos problemas comunes del embarazo, como la náusea matutina, la hiperemesis, las infecciones urinarias y otros más son tratables con homeopatía, la cual tiene especial utilidad durante el embarazo, pues no tiene el riesgo de efectos tóxicos que puedan dañar al feto. Durante el último mes del embarazo suele administrarse caulophyllum para preparar los músculos y ligamentos del canal del parto y facilitar el nacimiento; este remedio también se conoce como orobanca o hierba tora, y era utilizado por las mujeres piel roja para facilitar el parto.

32. ¿Hay alguna alternativa homeopática para la vacunación e inmunización?

Sí; las nosodas de enfermedades específicas tienen esta misma función preventiva —por ejemplo, morbillinum para sarampión, pertussin para tos ferina, variolinum para viruela, tuberculinum para tuberculosis y otros más.

La belladona, que no es una nosoda, sirve para aliviar y prevenir la escarlatina, aunque este padecimiento es raro en la actualidad. La pulsatilla, que tampoco es una nosoda, tiene utilidad en el tratamiento y la prevención del sarampión. Estos remedios sirvieron para proteger a los niños contra estas enfermedades durante los años previos al descubrimiento y desarrollo de esquemas de vacunación e inmunización. Por desgracia no se realizaron pruebas clínicas de eficacia en esos días y hoy es imposible practicarlos debido al uso generalizado de los esquemas de vacunación; por consiguiente, no disponemos de datos concluyentes sobre el grado de protección que otorgan los remedios homeopáticos. Sin embargo, la experiencia clínica transmitida sugiere que son remedios eficaces y, además, no tienen efectos colaterales dañinos.

33. Cuando tome los remedios, ¿debo cambiar mi dieta, dejar de fumar y/o beber?

Éste es un cuento muy conocido y el consejo depende mucho de quién lo dé. Nosotros hemos observado que si un paciente consume una dieta que omita, en lo posible, la contaminación con plaguicidas, herbicidas y aditivos químicos, los remedios homeopáticos tienen una eficacia mayor que cuando el paciente persiste en una dieta con aditivos y comida chatarra; lo mismo podría decirse de fumar y beber. No obstante, estas dos actividades tienden a asociarse con adicciones y dificultades de personalidad del paciente y, a menudo, es contraproducente pedirle que renuncie a estos hábitos porque puede experimentar un síndrome de abstinencia, y la incapacidad para dejar el tabaco o el alcohol le provocaría culpa y angustia. Se espera que conforme el paciente comience a sentirse mejor tenga una necesidad menor de cigarrillos o alcohol. En algunos casos, los pacientes pueden interrumpir, sin ayuda, estos hábitos y no presentan complicaciones posteriores. Un ejemplo es el joven que tenía crecido el bazo, cuyo caso se describe en el capítulo 1.

Algunos homeópatas recomiendan que sus pacientes no consuman café o té mientras se encuentren en tratamiento, porque consideran que el café, en particular, tiende a volver inactivos los remedios; esto tal vez sea cierto, aunque hasta el momento no disponemos de pruebas concluyentes. Si el paciente desea renunciar al café, esto no sería mala idea; algunos cafés instantáneos han provocado problemas semejantes a la hipersensibilidad al trigo en varios casos, y por ello es mejor evitarlos, al igual que el trigo.

34. ¿Cómo es posible que tales diluciones de un medicamento tengan efectos tan intensos como los descritos?

Consideramos que los remedios homeopáticos son un sistema de información y, como tal, para actuar dependen de la *calidad* del remedio más que de la *cantidad*. Los sistemas de información en el cuerpo actúan en niveles sutiles y en cantidades mínimas, casi nulas, y la escala de los remedios homeopáticos tiene consistencia con mucho de lo que sabemos acerca de la integración biológica y los mecanismos de control.

35. ¿Puede utilizarse la homeopatía en combinación con otras formas de medicina alternativa?

Por supuesto. A menudo, cuando se utilizan varios enfoques distintos, los resultados son mucho más rápidos y duraderos. Por ejemplo, en un grupo de pacientes con artritis reumatoide y osteoartritis, tratados con una dieta de eliminación seguida de una dieta sin trigo, reintegración cervical y preparado de mejillón de labios verdes, Seatone, obtuvimos mejorías significativas y, con frecuencia, notables en apenas quince días, resultado comparable, o superior, al obtenido con homeopatía o Seatone, individualmente, durante un periodo de tres a seis meses. La mayor parte de los métodos de medicina alternativa funcionan de manera armónica y sinérgica entre sí para dar efectos combinados que muchas veces son superiores a la suma de los efectos individuales atribuibles a cada forma de terapia.

A la fecha opinamos que cualquier programa terapéutico, ya sea homeopático o no, debe iniciarse con especial atención a la dieta, pues esto facilitará la acción de cualquier remedio o tratamiento administrado. También son importantes la postura y el ejercicio. Los remedios Bach suelen administrarse en combinación con remedios homeopáticos y muchas otras formas de terapia como acupuntura, terapia de campo magnético, terapia neural y otras pueden agregarse al programa terapéutico, de ser necesario.

36. ¿Qué significa tratar al individuo como un todo?

Significa que el médico reconoce que su paciente no es sólo una entidad física, sino que tiene aspectos emocionales mentales y espirituales que también pueden requerir de tratamiento. También se reconoce que este individuo complejo no vive en aislamiento sino en constante interacción con su ambiente, y que es necesario tomar en cuenta esto en la valoración del problema y la planificación del tratamiento.

37. Si la homeopatía es una forma de tratamiento individual —por ejemplo, una persona con gripe puede requerir de un medicamento muy distinto de otro individuo con la misma enfermedad—, ¿cuál es el valor de los remedios homeopáticos que vemos en muchas farmacias y que utilizan las personas que desconocen que la elección del remedio está determinada por diversos factores, no sólo por la sintomatología?

En primer lugar, no es aconsejable ingerir remedios que consistan de mezclas, pues no hay estudios homeopáticos para las mezclas y se desconoce si los efectos son distintos de los obtenidos con los componentes individuales. A condición de que se obedezcan al pie de la letra las indicaciones sobre el uso de remedios como las sales tisulares, y que no se utilicen durante tiempo prolongado, el efecto puede ser benéfico. No obstante, si se usan en periodos largos, los pacientes estarán ensayando con los remedios sin darse cuenta de que la nueva sintomatología que empiezan a experimentar tiene que ver con el remedio que usan. Los remedios de lesiones como el árnica tienen indicaciones precisas y sencillas; en el caso de los botiquines caseros de remedios, deben contar con instrucciones completas de uso, así como con las indicaciones específicas.

38. ¿Qué son las sales tisulares Schussler?

Son un grupo de doce remedios homeopáticos de potencias bajas (3X a 12X) preparados a partir de sales inorgánicas que fueron aisladas de la sangre y en los líquidos tisulares durante la primera época de la homeopatía. El doctor Schussler, quien tenía interés especial en la fisiología, pensaba que varias enfermedades se debían a la carencia de una o más de estas sales y consideró que si el paciente manifestaba los síntomas de un remedio —por ejemplo *Natrum muriaticum*— era debido a que tenía una deficiencia de esta sal en su cuerpo. Schussler descubrió que al administrar la sal en baja potencia ocurría una mejoría en el estado general del enfermo.

Por supuesto, ya que sólo hay doce preparaciones de sales tisulares, se hicieron mezclas, con diversos grados de éxito, para ampliar su número y abarcar otras sintomatologías; el problema con las mezclas es que jamás han sido ensayadas según el método homeopático clásico, como ocurre con los remedios originales. Los estudios bioquímicos más recientes demuestran que el cuerpo tiene muchos más elementos inorgánicos de los que componen las doce sales tisulares. Schussler trató de simplificar la homeopatía con sus sales para que la

188

práctica fuera más sencilla, pero su concepto de enfermedad por carencia no ha sido validado y sus principios no comulgan con los preceptos de la homeopatía clásica.

Otro problema es que si los remedios se administran durante periodos prolongados, como suele suceder, el paciente empieza a ensayar el remedio y esto provoca el desarrollo de nuevos síntomas. Si usted consume estos remedios, no es aconsejable que los use durante periodos mayores de tres semanas, a menos que se encuentre bajo supervisión médica.

11. Tendencias futuras

Hay algo muy malo en la salud de los países occidentales. A pesar del Servicio Nacional de Salud inglés, la frecuencia de presentación de las enfermedades crónicas en ese país, así como en otras naciones occidentales, se ha elevado de manera notable durante los últimos cuarenta años al grado de que este grupo de padecimientos ha adquirido características epidémicas, desplazando a las enfermedades infecciosas agudas que con gran astucia hemos controlado. Esta tendencia también se observa en todos los países desarrollados, y las naciones en vías de desarrollo empiezan a seguir el ejemplo. A pesar de su enorme armamentario de maquinaria de alta tecnología, las sofisticadas técnicas quirúrgicas y la amplia variedad de medicamentos farmacéuticos, el Sistema Nacional de Salud de Inglaterra no sólo ha perdido el control de la oleada de enfermedades, sino que empieza a derrumbarse bajo la creciente carga de los padecimientos crónicos.

Hay muchos factores que pueden explicar esta situación, al menos en parte; entre ellos están: la creciente contaminación ambiental; el enfoque farmacológico del tratamiento —a) medicamentos; b) programas de inmunización—; la negación de los aspectos espirituales del hombre.

1. Aumento de la contaminación ambiental

Este tema fue analizado al hablar de las terapias dietéticas en el capítulo 8. El aumento del contenido químico

191

de los alimentos procesados en una gran variedad de colorantes, saborizantes, texturizantes, emulsificantes, conservadores y otras sustancias incrementa el contenido de productos químicos de nuestros sistemas al consumirlos como parte de nuestra dieta ordinaria. Aunque, en la actualidad, algunos fabricantes han comprendido el problema y ofrecen productos libres de la mayor parte de los aditivos químicos, otros persisten en producir artículos cada vez más sintéticos con sabores desagradables para los paladares que han sido educados con productos naturales. Esta carga química debe tener un efecto nocivo en nuestro cuerpo porque, en primer lugar, aumenta el trabajo que debe realizar para eliminar estas sustancias; por consiguiente, los riñones y el hígado tienen una mayor carga de trabajo.

Si el cuerpo no puede eliminar las sustancias químicas, éstas deberán almacenarse en alguna parte; además de los depósitos de cristales en las articulaciones, la vesícula y los riñones, el almacén principal se encuentra en las células del cuerpo, lo que aumenta la cantidad de material sólido en la sustancia celular que llamamos citoplasma. La mayor parte de los componentes citoplásmicos se encuentran en forma coloidal o solución coloide; los coloides existen en estado sol (líquido) o gel (sólido) y en condiciones normales los dos estados se hallan en equilibrio. Las sustancias adicionales que se almacenan en el citoplasma aumentan la tendencia hacia el estado sólido (gel) y esto rompe el equilibrio de las células, lo que a su vez provoca un movimiento más lento de las sustancias en el interior de las células e interfiere con la función celular. El aumento del estado sol o gel en las células equivale a una mayor degeneración, en términos de acupuntura; y la mayor parte, o tal vez todas las enfermedades crónicas, son padecimientos crónicos degenerativos.

Esto es sólo una cara del problema de la comida; la otra es el aumento en las cantidades de plaguicidas, herbicidas y fungicidas que se utilizan, cada año, en las técnicas para agricultura, horticultura y silvicultura. Estas sustancias se rocían a discreción desde máquinas, helicópteros y aviones, sin control del sitio donde caen y el daño que pueden ocasionar a las zonas aledañas. Por su naturaleza biocida, es decir, que acaban con la vida, estos productos no son biodegradables, por consiguiente tienden a acumularse en el suelo y son absorbidos por las plantas que crecen en esos terrenos. En Inglaterra, los alimentos que consume la población tienen cantidades de herbicidas y plaguicidas superiores a los límites superiores de seguridad; una vez más, como estas sustancias están destinadas a acabar con la vida, su presencia en nuestra comida difícilmente será benéfica.

Estos dos aspectos de la contaminación alimentaria son responsables de numerosos casos de enfermedades crónicas, como queda demostrado con la mejoría que se observa al introducir sencillas medidas dietéticas. Sin embargo, no son las únicas formas de contaminación ambiental a que estamos expuestos; cada vez es mayor el nivel de los gases de combustión, la contaminación industrial que incluye las lluvias ácidas que tienen efectos devastadores en los bosques de Escandinavia y Europa Central, la cantidad de desechos radioactivos y residuos de accidentes en estaciones nucleares, así como la adición de flúor a los sistemas de agua potable. En la escala doméstica tenemos los aerosoles; muchos productos de uso casero se encuentran en esta presentación: cera para muebles, cremas para calzado, espuma para limpiar hornos, por mencionar algunos, además de los tradicionales aromatizantes de ambiente y fijadores para el cabello. Los propulsores de estos aerosoles contienen peligrosas sustancias químicas que incluyen el fluoruro, y es imposible evitar su inhalación o cierto grado de contacto con la piel; por su naturaleza, los rocíos en aerosol llegan a todas partes.

En este contexto, también es importante mencionar el uso generalizado de utensilios de cocina y papeles hechos de aluminio; este metal se popularizó debido a

193

su bajo costo, pero desde hace mucho tiempo, los homeópatas han sabido que el aluminio puede ser muy tóxico, en particular al calentarlo, y con frecuencia advierten a quienes sufren de prolongadas afecciones gastrointestinales que eviten esta clase de utensilios de cocina, pues hay una pequeña proporción de enfermos en quienes el aluminio ocasiona trastornos muy específicos. Se ha sugerido una relación entre la enfermedad de Alzheimer (una forma de demencia senil) y el aumento en los niveles de aluminio en el cerebro, y ésta podría ser sólo la punta de un iceberg que todavía no ha sido reconocido.[1]

En general, la contaminación de nuestro ambiente —industrial, agrícola y doméstico— con sustancias químicas puede tener un papel muy importante en el mayor número de enfermedades crónicas degenerativas y su frecuencia presentación. Si prestamos atención a estos aspectos podríamos contener el número de casos de enfermedades crónicas, pero tal vez sea difícil acabar con ellas.

2. Enfoque farmacológico del tratamiento

a) Medicamentos

Aún hace diez años era muy controvertido el concepto de que los aditivos alimentarios, los plaguicidas y herbicidas podían ocasionar daños a la salud. No obstante, al disponer de mayor información sobre sus efectos, cada vez son más las personas que reconocen los riesgos y buscan la manera de evitarlos. Por otra parte, la sugerencia de que los medicamentos ortodoxos pueden ser igualmente nocivos todavía provoca acaloradas discusiones, mas se trata de un problema muy grave que debemos analizar si pretendemos evitar las enfermedades crónicas.

Hahnemann sostenía que el alivio de los síntomas de

una enfermedad, sin curar el problema real, provocaba la supresión del padecimiento, mismo que volvía a aparecer algún tiempo después (que podía ser semanas, meses o, incluso, años) de una manera distinta y más profunda; él consideraba que la terapia paliativa hacía que el problema profundizara más en el organismo, donde continuaba creciendo y producía daños cada vez más grandes.

La mayor parte de los medicamentos modernos son paliativos, pues no ejercen una curación real. Los nombres genéricos de sus distintos grupos indican que están dirigidos a combatir síntomas específicos –por ejemplo, antiinflamatorios, antidepresivos, antiácidos, antibióticos. Desde el punto de vista de Hahnemann, la supresión o represión de los síntomas podía ir acompañada de la aparición posterior de problemas más graves y arraigados; de hecho, esto ha sido lo que observan muchas personas que utilizan la medicina ortodoxa –que adquieren una enfermedad tras otra, para la cual requiere de nuevos medicamentos, hasta que van por la vida como una farmacia ambulante. No es de extrañar que nunca se sientan bien y que hace mucho tiempo olvidaran la sensación de energía, entusiasmo y alegría del pasado, para vivir en un estado vital inferior. Después de todo, ¡sus médicos muchas veces les han dicho que tienen que aprender a vivir con su problema! Y, por supuesto, todo esto ocurre además de los efectos colaterales que, como todos sabemos, son una característica bien reconocida de esta clase de medicamentos.

El caso de la mujer que acudió a nuestra consulta externa con un grave ataque de asma, ejemplifica lo anterior. Muchos años antes, la paciente desarrolló tirotoxicosis (actividad exagerada del tiroides) y fue tratada con un medicamento supresor del tiroides llamado carbimazol, mismo que tuvo que utilizar durante tres meses para después suspenderlo. Seis meses más tarde desarrolló asma, la cual requirió de internamientos frecuentes en el hospital y la administración de medicamentos esteroides durante muchos años. Las pruebas revelaron que no era alérgica al carbimazol.

Cuando se retomó el caso desde el punto de vista homeopático, se determinó que el remedio más indicado era *Calcarea carbonica* —una forma de carbonato de calcio preparada a partir del recubrimiento interno de la concha de ostión. A partir de su administración, el asma desapareció en poco tiempo y no fue necesario repetir el tratamiento. Si se le hubiese administrado calcarea desde el principio, remedio que, además, contiene en su cuadro de prueba los síntomas de la tirotoxicosis, es muy factible que la mujer nunca hubiese desarrollado asma.

Otro caso es el de un hombre que padeció de eczema durante muchos años, el cual fue tratado con cremas esteroides y, después de algún tiempo, se complicó con asma. Al recibirlo en la clínica, el remedio indicado fue *Arsenicum album*, y así se recetó. Después de la administración el paciente tuvo una buena respuesta y el asma mejoró mucho; en una visita posterior, se administró una potencia mayor de arsenicum, la cual provocó un agravamiento del cuadro asmático y eczematoso, que tardó dos meses en ceder. El tratamiento posterior con la potencia baja inicial logró eliminar el asma, en primer término, y después el eczema.

Fuera de su función como supresores de los síntomas de la enfermedad, los medicamentos farmacéuticos modernos son sustancias químicas sintéticas de orden semejante al de los aditivos alimentarios que ya hemos mencionado. Además de los efectos farmacológicos que tienen en las funciones metabólicas del cuerpo, aumentan la carga de trabajo del organismo para combatir su toxicidad y eliminarlos. Hoy sabemos que estas funciones disminuyen en los ancianos, así que los medicamentos tienen una vida media cada vez mayor en las personas de edad madura y por ello es necesario administrarlos en dosis más bajas; y de nuevo, si el cuerpo no puede eliminarlos, se suman a las otras muchas sustancias de desecho que acumulan las células.

Los médicos homeópatas saben que las terapias prolongadas con medicamentos esteroides hacen que el tratamiento posterior con homeopatía sea muy difícil, y tal vez imposible; lo mismo opinan los acupunturistas de la Sociedad de Medicina Biofísica (Society of Biophysical Medicine), quienes observaron que los tratamientos intensivos con antibióticos alteran de tal forma las características eléctricas del cuerpo que es imposible realizar un diagnóstico eléctrico hasta varios meses después de interrumpir el uso de estos fármacos.

La propia medicina ortodoxa manifiesta inquietud ante la indiscriminada forma como se han utilizado los antibióticos; sin embargo, el interés está centrado en la aparición de cepas resistentes de microorganismos. En la actualidad, esta situación se ha transformado en una carrera en la que el hombre conserva, a duras penas, la delantera en la creación de antibióticos nuevos y más eficaces para atacar a los microorganismos resistentes. ¿Cuánto tiempo más conservará esta ventaja?

El interés de la medicina alternativa también abarca este aspecto de los antibióticos, pero va mucho más allá. Los especialistas en estas ciencias consideran que el tratamiento con antibióticos, aunque está dirigido contra los organismos infecciosos y no contra el paciente, es también una forma de terapia de supresión y temen los efectos a largo plazo en un sistema delicado y sensible como el inmunitario. Como el sistema inmunitario es nuestro mecanismo de defensa contra los agentes ambientales dañinos —sean infecciones, toxinas o agresiones de diversa índole—, una alteración generalizada en esta área podría resultar catastrófica. Hace algunos años, un eminente homeópata advirtió que estábamos exponiéndonos a la invasión de enfermedades hasta entonces desconocidas, contra las cuales tendríamos muy pocas defensas; la reciente aparición de la enfermedad del legionario y el SIDA parecen confirmar esta advertencia.

Los antibióticos afectan el sistema inmunitario; esto

197

queda comprobado con las alergias que desarrollan algunos pacientes contra ciertos antibióticos, en particular del grupo de las penicilinas. Un hombre de cuarenta años que sufrió una herida recibió inyecciones de penicilina y toxoide tetánico; días después presentaba inflamación de tobillos y rodillas, la cual persistió durante dos semanas y no cedió hasta que recibió un preparado homeopático de penicilina para resolver su problema.

b) Programas de inmunización

No obstante, la preocupación de algunos miembros de la profesión médica no se debe sólo al uso generalizado de medicamentos diversos y antibióticos; uno de los más grandes logros del presente siglo ha sido la virtual desaparición, en los países desarrollados, de las grandes epidemias infecciosas que solían acabar con la población. Esto se logró, en gran medida, con la combinación de mejores condiciones de salud pública –buenos servicios de sanidad y fuentes de agua potable más seguras– y el uso de programas de vacunación.

En Inglaterra, la vacunación se inició con Jenner, quien experimentó con la prevención de la viruela provocando infecciones con vacuna. Es interesante notar que el primer experimento de Jenner fue en 1796, mismo año en que Hahnemann publicó su primer artículo sobre el concepto del tratamiento con similares. Al aumentar los conocimientos sobre anticuerpos y su función, el concepto de vacunación o inmunización creció en poco tiempo durante el presente siglo hasta producir programas de vacunación confiables para todas las enfermedades infecciosas agudas. Hoy disponemos de complicados esquemas de vacunación en que los niños muy pequeños, a partir de los cuatro o seis meses de edad, reciben protección contra sarampión, tos ferina, difteria, tétanos y polio, mientras que la inmunización contra tuberculosis se aplica después. No hace mucho, cuando un bebé nacía en ambiente hospitalario, era casi imposible que no recibiera inmunización contra tuberculosis antes de enviarlo a su hogar.

Además de los efectos colaterales adversos, en particular el daño cerebral que a menudo ocurre como complicación de las vacunas contra tos ferina y sarampión, y que en sí mismo es un tema de acalorado debate en la actualidad, existen otras inquietudes con respecto de estos programas de vacunación de gran escala. Muchos de ellos se inician a temprana edad –antes de los seis meses–, época en la que el sistema inmunitario en desarrollo todavía no alcanza la total madurez. Asimismo, como un intento para minimizar el trauma que sufre un niño pequeño, se han desarrollado inmunizaciones múltiples como la vacuna triple (combinación de difteria, tos ferina y tétanos –todo en una misma inyección); esto significa que el sistema inmunitario del bebé es bombardeado por antígenos a una edad en que, bajo condiciones normales, esto no sucedería, debido a que los bebés amamantados reciben una inmunidad pasiva de sus madres que les protege hasta los seis meses de edad, y a veces más tiempo, momento en que su propio sistema inmunitario ha alcanzado ya la total madurez. Por otra parte, a menudo sufren el ataque de varios antígenos al mismo tiempo –situación que rara vez se presenta en condiciones naturales. Es difícil valorar el efecto que puede tener esto en el funcionamiento homogéneo posterior del sistema inmunitario; no obstante, hemos presenciado la creciente frecuencia de presentación de casos de alergia entre la población –al grado de que hoy, uno de cada cuatro niños tiene alguna alergia. La alergia se define como un estado de funcionamiento anormal del sistema inmunitario; todavía no se ha establecido si el uso indiscriminado de esquemas de inmunización tiene un papel en el desarrollo de estados alérgicos en Inglaterra y otros países, pero valdría la pena no perder de vista esta posibilidad.

Otro aspecto de la disfunción del sistema inmunitario

es el área de las enfermedades autoinmunes, en las que el cuerpo no reconoce sus propios tejidos, los trata como ajenos y procede a destruirlos. Hasta el momento se desconoce si la mayor frecuencia de presentación de enfermedades autoinmunes es consecuencia de los programas de vacunación.

3. Negación de los aspectos espirituales del hombre

Éste es un tema muy distinto de los dos antes analizados y tiene que ver con factores más sutiles en la producción de la enfermedad. Si nos visualizamos como entes físicos que tienen una permanencia limitada en este mundo al final de la cual dejan de existir y todo se acaba, entonces la vida carece de sentido; tal vez no sea así en la juventud, cuando todavía encaramos todos los desafíos de la vida, pero una vez alcanzado un nivel razonable de comodidad material, surge entonces la interrogante: ¿qué sigue? Y si al morir no hay algo más, ¿cuál es el objeto de esforzarnos para lograr algo, además de los placeres materiales? Al pasar los años, el panorama se vuelve cada vez más inútil y estéril, vacío y frustrante. Como todos los niveles del organismo están entrelazados, interactúan y se afectan entre sí, este estado repercute en los niveles emocional y mental, y no es sorprendente que, a la larga, también aparezcan síntomas físicos.

La concepción cada vez más material y mecánica del mundo es, sin duda, responsable de muchas frustraciones, angustias, alteraciones en los patrones del sueño y sutiles desequilibrios mentales/emocionales que experimentamos en la actualidad. Si no poseemos el sentido de nuestra verdadera identidad nos hallamos a la deriva en el mundo, víctimas de todas las preocupaciones que nos salgan al paso y sin control alguno de las cosas, menos aún de nuestras vidas. En opinión de uno de

200

nuestros colegas holandeses, la sensación desorganizada del "yo soy" y la obstrucción de nuestra capacidad para entrar en contacto con nuestras almas divinas son el origen de muchos casos de cáncer en nuestros días; estos pacientes jamás lograrán una curación con medicamentos, radioterapia, terapia dietética, vitaminas u homeopatía, pues sólo podrán ayudarse cuando restablezcan sus conexiones con el ser interno, el alma divina y, al hacerlo, reconozcan que el mundo material no lo es todo. Esta realización da a la vida un nuevo significado; ya no la vemos como la insensata lucha de antaño sino que adquiere nuevas dimensiones de ser, salud y alegría y las pone al alcance de nuestras manos.

Y así, casi al final del siglo xx, Inglaterra es una nación mutilada y herida en su salud, con la creciente carga de las enfermedades crónicas que la terapéutica ortodoxa no puede detener y mucho menos eliminar.

Hahnemann dijo que la enfermedad crónica está ligada a lo que denominó "miasmas hereditarios" —concepción validada por la genética, ciencia que acepta que la enfermedad crónica es el producto de diversos factores internos, hereditarios, genéticos combinados con las influencias adversas del ambiente exterior. Hahnemann creía que los efectos de las infecciones y toxinas en una generación podían transmitirse a las generaciones posteriores, y el descubrimiento de que los virus pueden introducirse en nuestro material genético (el ADN) ha dado crédito a esta hipótesis. Hahnemann desarrolló diversos remedios que llamó nosodas, preparados a partir de derivados específicos de las enfermedades y los utilizó como antídotos específicos para dichos padecimientos de manera similar a los anticuerpos que hoy todos conocemos. Estas nosodas sirven para contrarrestar las características hereditarias que son la raíz de muchas enfermedades crónicas.

Un logro reciente en el concepto homeopático es el campo de la medicina psiónica.[2] Desde hace treinta años, George Laurence[3] ha desarrollado un método para estudiar los cambios que ocurren en las proteínas orgánicas básicas durante una enfermedad; esto se consigue mediante una técnica divinatoria para determinar los cambios que ocurren en el ADN o ARN cuando la persona queda expuesta a las influencias de factores tóxicos —el objetivo es determinar por qué hay una enfermedad, y no sólo que la persona está enferma.

Estos factores pueden ser adquiridos durante la vida de la persona o ser hereditarios (miasmas de Hahnemann). Además de sus efectos en el ADN o ARN, es posible medir la influencia de las toxinas en sistemas, órganos, tejidos e incluso líquidos corporales, confirmando los antecedentes clínicos que proporciona el paciente. Una vez determinada la composición de la carga tóxica, es posible establecer el orden de eliminación de los factores tóxicos, ya sea con un remedio único o tal vez utilizando remedios complejos —los remedios se eligen de manera específica según los factores tóxicos que ocasionan el padecimiento. La potencia de cada remedio y la frecuencia y duración de las dosis administradas, también se determinan con exactitud. Al utilizar remedios complejos, cada componente debe encontrarse en la potencia adecuada, la cual casi siempre se encuentra dentro del margen de 6X a 12C.

Aquí es importante notar que ciertos patrones de factores tóxicos tienen relación con formas específicas de presentación de la enfermedad, y esto da mayor importancia a los antecedentes familiares desde el punto de vista prospectivo y retrospectivo pues nos permiten determinar el momento en que surgen ciertas tendencias, y la eliminación de las toxinas heredadas y heredables significa que las siguientes generaciones no tendrán estas toxinas y, por ende, sus efectos.

Por consiguiente, los problemas del paciente, al utilizar medicina psiónica, se eliminan capa por capa, como quien pela una cebolla. Al retirar una capa, suele aparecer otra más profunda y así se inicia el proceso opuesto al que se obtiene con medicamentos de supresión, paliativos. Por supuesto, los homeópatas pueden elegir remedios y nosodas para eliminar toxinas y miasmas sin recurrir al enfoque psiónico; no obstante, se discute mucho sobre el orden en que deben administrarse los remedios homeopáticos e incluso, en algunas escuelas, hay debates sobre la administración de más de un remedio a cada paciente. Como vimos en el capítulo 6, algunas escuelas homeopáticas, en particular las sudamericanas, consideran que todos los aspectos de un mismo caso deben considerarse como diversas expresiones de un remedio único y que el paciente no tiene que cambiar su remedio durante el resto de su vida. Sin embargo, estas opiniones no tienen gran aceptación en Inglaterra.

La ventaja de la medicina psiónica es que, al finalizar el análisis del enfermo, podemos entregar una receta con todos los remedios y el orden en que deben administrarse. Los médicos psiónicos informan que en casos crónicos, siempre es necesario administrar varios remedios pues hay que eliminar varios factores tóxicos; al concluir el tratamiento, deben haberse eliminado todas las influencias tóxicas adquiridas y heredadas. Aunque esto tal vez no tenga un efecto significativo en la salud y función del paciente, en el caso de que haya sufrido daños extensos e irreversibles, no deja de ser una buena oportunidad para reducir la carga genética. Por esta razón, si los pacientes reciben tratamiento antes de iniciar una familia, sus hijos no tendrán los miasmas hereditarios y esto reducirá su riesgo de presentar enfermedades crónicas.

En la actualidad, otro campo que ha captado gran atención entre los investigadores es la medicina bioeléctrica, concepto que tiene íntima relación con la homeopatía. En el capítulo 4 analizamos la forma como todas las reacciones químicas y bioquímicas son, en esencia, cambios en la organización de los campos de fuerza eléctricos; las cargas eléctricas son propiedades de las partículas subatómicas, que son el sustrato de toda la materia física, ya sea química o biológica. Todos los seres vivos son sistemas eléctricos de suma complejidad –algo que ya sabían los acupunturistas chinos, pero que sólo fue aceptado en occidente hasta principios de este siglo. El doctor Starr White, de Los Ángeles, fue reconocido como el primer occidental que estableció la relación entre el ser humano y su orientación con respecto al campo magnético de la Tierra. Al percutir el abdomen de una persona, se obtiene una nota resonante debido al aire que contienen los intestinos; Starr White observó que si el individuo cuyo abdomen percutía se colocaba de tal manera que quedara alineado en ángulo recto con el campo magnético de la Tierra, era posible detectar áreas de opacidad sonora que no aparecían cuando el sujeto se encontraba colocado en paralelo con el campo magnético terrestre.

El doctor Abrams, de San Francisco, repitió la experiencia de Starr White y profundizó en sus investigaciones. Descubrió que los pacientes con cáncer presentaban áreas de opacidad sonora cerca del ombligo y que los pacientes con tuberculosis tenían una zona parecida debajo del ombligo. Abrams pudo crear un mapa con las regiones abdominales que respondían a distintas enfermedades, y algunas de estas zonas se traslapan. Esto le hizo pensar que trataba con un fenómeno eléctrico y que podía diseñar una máquina que midiera los cambios resultantes en términos eléctricos; para ello, construyó una caja que contenía resistencias variables y, con este instrumento, descubrió que podía distinguir una enfermedad de otra utilizando ohmios (la medida de resistencia) como parámetro de medición. Observó que cada enfermedad tenía relación con un grado específico de resistencia al flujo eléctrico, de tal manera que era posible expresarla numéricamente en términos de cierto número de ohmios.

Abrams descubrió, asimismo, que al introducir en el circuito una gota de sangre del paciente, ésta actuaba de testigo para el paciente, quien a su vez era sustituido por un individuo sano cuyo abdomen percutía; esto significaba que los pacientes que vivieran lejos del doctor Abrams no tenían que viajar hasta San Francisco, sino que sólo necesitaban enviar una muestra de sangre para que el médico realizara el diagnóstico.

En Glasgow, el doctor W. E. Boyd[4] estudió también este fenómeno de los cambios en el tono de la percusión abdominal bajo ciertas condiciones. El opinaba que se trataba de un caso parecido al de una señal de radio más que la señal eléctrica propuesta por Abrams. Para este fin, diseñó y construyó un emanómetro que protegía al paciente sometido a percusión abdominal de todas las ondas electromagnéticas del ambiente, además del operador y de la gota de sangre, o cualquier otra sustancia utilizada en el circuito. Con este instrumento, Boyd logró seleccionar el tratamiento homeopático adecuado, lo cual demostró con éxito y con una gran significancia estadística ante el comité Horder, un grupo instituido en 1924 para estudiar estas afirmaciones y compuesto de dos médicos y tres científicos de renombre que actuaban bajo las órdenes de Lord Horder. El comité Horder no tuvo más opción que reconocer la capacidad del emanómetro para demostrar un fenómeno auténtico: la existencia de un campo eléctrico alrededor del cuerpo humano y los remedios homeopáticos.

Al usar el emanómetro para elegir los remedios, Boyd comenzó a aproximarse mucho al sistema de selección de tratamientos de Hahnemann: administraba un remedio y aguardaba de dos a tres meses antes de repetirlo o cambiar el remedio; sin embargo, el emanómetro era estorboso y difícil de usar, y Boyd se dio cuenta de que era imposible eliminar al sujeto sano del sistema. Por consiguiente, el instrumento no fue utilizado por otros especialistas.

Reinholdt Voll, médico alemán, alcanzó nuevos logros en el estudio de la electricidad para el diagnóstico a principios de la década de 1950. Entrenado como homeópata y acupunturista, Voll consideró que sería posible medir la resistencia eléctrica de los puntos de acupuntura, y tuvo razón. A partir de sus observaciones, procedió a establecer las bases de la electroacupuntura, técnica que hoy tiene gran popularidad en el tratamiento de muchas enfermedades, incluida la farmacodependencia. Asimismo, Voll se preguntaba si habría alguna relación entre un meridiano de acupuntura y el órgano con que lo relacionaban los antiguos acupunturistas chinos, y pudo demostrar que dichos meridianos conservaban cierta relación con el órgano cuyo nombre recibían. Con el uso de un circuito eléctrico, demostró que si un meridiano no funcionaba correctamente, podía registrar una baja en el voltaje en puntos específicos situados sobre ese meridiano; este fenómeno recibió el nombre de caída del indicador. Luego, Voll descubrió que si incluía remedios homeopáticos en la máquina, conectados en serie con el paciente y la sonda de medición, las lecturas del meridiano volvían a la normalidad una vez utilizado el remedio adecuado en el circuito. Este concepto es parecido al del emanómetro de Boyd, pero el aparato era mucho más fácil de construir y utilizar.

Aunque la técnica de Voll tenía eficacia terapéutica, también era laboriosa y requería de mucho tiempo, por ello, el doctor Helmut Schimmel, discípulo de Voll, simplificó el sistema utilizando un testigo para cada órgano —es decir, preparados de tejidos de órganos— en vez de medir los puntos de cada meridiano. Schimmel eligió un punto único, un dedo de la mano o del pie, y utilizó testigos de los distintos órganos para valorar su normalidad. Al detectar alguna alteración, la corregía introduciendo el remedio en serie, como hiciera Voll. Esta técnica es más rápida, sencilla y confiable que el método original de Voll, y fue precursora de la máquina Vegatest, que hoy utilizan varios especialistas tanto en Europa continental como en Inglaterra, y que es esencial para la recién creada disciplina de medicina reguladora bioelectrónica (con siglas BER, en inglés).[5] La máquina

Vegatest sirve para identificar factores y causas insospechadas de enfermedades, como focos infecciosos, toxinas y factores hereditarios, y también es útil para la selección de remedios homeopáticos.

Los métodos antes mencionados dependen, en cierta medida, de las respuestas entrenadas del operador e implican un elemento subjetivo imposible de eliminar. Un enfoque más objetivo es el electrograma de segmentos, que detecta áreas de desequilibrio eléctrico o alteraciones en diferentes segmentos del cuerpo. Después, los antecedentes y el examen clínico del paciente permiten identificar los órganos afectados dentro de ese segmento. Esta técnica a menudo identifica desequilibrios eléctricos antes que aparezcan los cambios patológicos, y estas alteraciones pueden volver a la normalidad después del tratamiento adecuado.

Otro enfoque de los aspectos eléctricos del cuerpo fue desarrollado por Eeman, en la década de 1920,[6] quien consideraba que el cuerpo era como una batería compuesta de áreas positivas y negativas, como aparece en la figura 12. Experimentó conectando las áreas negativas y positivas con cables y parrillas de cobre, como se muestra en la figura 13, y así descubrió que este circuito tenía efectos muy relajantes en el sujeto que lo utilizaba. Al cruzar las piernas se produce un estado de relajación aún más profundo, observación que se repite en algunas técnicas de meditación. Eeman concibió entonces la idea de conectar dos sujetos en serie, uno negativo y el otro positivo, y descubrió que si se les enseñaba a relajarse correctamente, a menudo se quedaban dormidos y despertaban de manera simultánea. Después de varios experimentos llegó a la conclusión de que tal vez existe una forma de energía que fluye por los alambres que puede sincronizar a dos individuos que se encuentren en el mismo circuito. Además, descubrió que si los conectaba a los dos en positivo o negativo, en vez de relajarse se ponían inquietos, ansiosos e irritables. Pudo repetir estas observaciones de manera consistente con un interruptor oculto, para cambiar el circuito sin que los sujetos se percataran del cambio; de este modo pudo ponerlos en estado de relajación o irritabilidad con sólo mover un dedo, literalmente. Eeman observó también que si utilizaba medicamentos como aspirina en sus circuitos, el sujeto experimentaba los efectos de haber consumido una gran dosis de aspirina; lo mismo sucedía con otros fármacos.

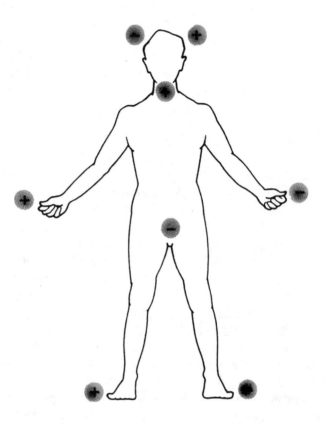

Figura 12. Diagrama clásico de las polaridades humanas.

Nosotros hemos adaptado el concepto de Eeman al uso de las potencias homeopáticas. Con los circuitos

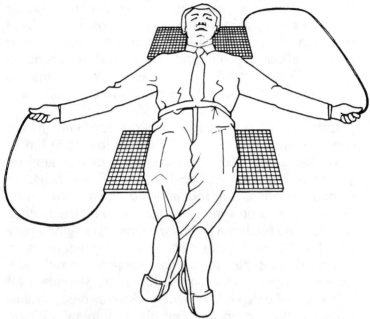

Figura 13. Paciente en un circuito de relajación, donde se muestran las esterillas de malla de cobre y las conexiones de los cables.

diseñados, descubrimos que con la introducción de una potencia homeopática en serie con el sujeto, éste experimenta los signos y síntomas del remedio a los pocos minutos de su introducción, y el experimento puede continuar mientras el sujeto se encuentre cómodo. No todas las personas son sensibles a todos los remedios; todos tenemos sensibilidad individual. Sin embargo, esta técnica es un método de selección rápido para determinar la sensibilidad individual a los remedios. Las personas que son sensibles a varios remedios pueden formar parte de las pruebas de confirmación del remedio, en caso necesario, y para esto se utilizan el circuito de Eeman o el método tradicional en el que los voluntarios toman el remedio en cuestión todos los días durante un periodo de varias semanas. Con el circuito Eeman, es posible experimentar los síntomas de un remedio en cuestión de horas o minutos, lo que hace que esta técnica sea mucho menos laboriosa y más rápida y eficaz que el método tradicional. Asimismo, el circuito Eeman tiene aplicaciones como instrumento terapéutico y este aspecto se encuentra en estudio a la fecha.

Otro aparato de la magia moderna que tiene que ver con este tema es la cámara Kirlian. La fotografía Kirlian se originó en Rusia con un matrimonio de este apellido y permite registrar, en papel o placas fotográficas, los campos eléctricos que rodean los cuerpos vivos –plantas, animales y personas. Algunos acupunturistas de la Sociedad de Medicina Biofísica utilizan esta técnica para visualizar los meridianos de acupuntura y determinar si su actividad eléctrica es normal, exagerada o reducida. En este contexto, la fotografía Kirlian es parecida a los métodos Voll y Vegatest en el diagnóstico de desequilibrios eléctricos del cuerpo. Se dice que la fotografía Kirlian puede detectar campos eléctricos que rodean a los remedios homeopáticos, además de los que envuelven a los organismos vivos –afirmación que confirma las observaciones de W.E. Boyd con su emanómetro, quien afirmaba la existencia de un campo eléctrico que rodeaba no sólo a los sujetos humanos sino también a los remedios homeopáticos. Todavía no se ha explorado todo el potencial de la fotografía Kirlian en el diagnóstico y en la selección de remedios.

El siglo xx ha sido testigo de un creciente interés en los aspectos eléctricos del cuerpo y la comprensión de que, en esencia, todos somos campos eléctricos complejos. Los instrumentos de detección eléctrica han permitido identificar y corregir los desequilibrios eléctricos antes que aparezcan cambios físicos manifiestos –en términos médicos, alteraciones patológicas. Esto sugiere que la raíz de la enfermedad se encuentra en los desequilibrios eléctricos de una naturaleza de organización más sutil que la física. Podemos visualizar la secuencia de acontecimientos como un desequilibrio eléctrico que conduce a un desajuste bioquímico, que a su vez provoca problemas dentro de las células y, por último, se traduce en un cambio físico evidente que podemos identificar con la exploración física. Si volvemos al diagrama del capítulo 4 (figura 5), que presenta los niveles crecientes de organización desde la partícula subatómica hasta el ser vivo individual, podremos apreciar mejor las implicaciones de esto.

El uso de métodos eléctricos en el diagnóstico permite detectar desequilibrios en el nivel atómico y subatómico; si los corregimos antes que afecten otras moléculas, entonces podremos evitar los desequilibrios bioquímicos y en todos los niveles posteriores –una variedad muy eficaz de medicina preventiva. Es obvio que cuanto antes se resuelva el problema en la cadena de acontecimientos, más fácil será efectuar una curación.

El uso de métodos sutiles de selección de remedios para recetar el remedio homeopático correcto aun antes que se desarrolle el cuadro de sintomatología, o las técnicas como la electroacupuntura, que permiten corregir directamente los desequilibrios eléctricos, ofrecen oportunidades sin precedentes para la prevención y el tratamiento de la enfermedad.

Se sabe que hay personas que son muy sensibles a los relámpagos y otras que experimentan dolor en clima húmedo; estos cambios climáticos son muy conocidos para los especialistas homeópatas y forman parte integral del cuadro de algunos remedios. Algunos vientos, como el föhn de Suiza, el mistral del sur de Francia, el sirocco de Italia y el sharav de Israel, llevan consigo una carga excesiva de iones positivos de la atmósfera, lo que ocasiona que algunas personas experimenten malestares, sean más propensas a las infecciones o incluso tengan impulsos suicidas u homicidas; las tasas de accidente, suicidio y asesinato suelen elevarse en las

211

épocas en que soplan estos vientos. Asimismo tenemos el "síndrome de edificio enfermo" —edificios modernos con sistemas de calefacción y aire acondicionado central, iluminación fluorescente y que suelen presentar una frecuencia mayor de problemas de salud que los edificios tradicionales sin sistemas de ductos de aire y con luz incandescente normal, en vez de iluminación fluorescente. El uso cada día más frecuente de pantallas de video en muchos empleos, es otro peligro potencial.

Sin embargo, hoy disponemos de técnicas en estudio para el diagnóstico eléctrico, herramientas potenciales para valorar los efectos de la ionización y las ondas electromagnéticas del cuerpo y el ambiente. Para concluir este capítulo, queremos sugerir algunas formas en que la medicina puede controlar y eliminar la oleada de enfermedades que agobian al mundo.

- En primer término, hay que reducir la contaminación y garantizar una dieta natural, saludable y libre de contaminantes. Hay que eliminar los productos químicos que afectan la salud y el ambiente, o buscar alternativas más seguras.
- Segundo, los métodos de tratamiento deben ser analizados mejor. Evitar las terapias de supresión cuando sea posible y recurrir a las alternativas más seguras como homeopatía, acupuntura y los otros enfoques terapéuticos alternativos.
- Tercero, hay que prestar mayor atención a la totalidad del ser humano. Es importante cambiar la actitud materialista que hemos adoptado hacia la salud y el bienestar, pues sólo se ocupa de las necesidades materiales. Esta tendencia ha conseguido mayor impulso en la última década, con un creciente interés en el yoga y otras técnicas espirituales y de meditación, como la meditación trascendental, el control mental, el movimiento carismático, el Subud[7] y otras. Si tenemos salud, podremos dar sentido a nuestras vidas.

- Por último, el desarrollo de la medicina psiónica –una extensión de la homeopatía– y los métodos de diagnóstico bioeléctrico ofrecen métodos precisos y cuantificables para eliminar las predisposiciones hereditarias, o miasmas, y corregir desequilibrios eléctricos sutiles. Las implicaciones de la aplicación generalizada de estas técnicas es muy estimulante, pues ofrecen la oportunidad de tratar muchos padecimientos que, a la fecha, se consideran incurables. Las investigaciones futuras tienen un amplio campo para determinar si estas alternativas terapéuticas poseen la capacidad para curar las enfermedades de transmisión genética.

Referencias y notas

1. La homeopatía en acción

[1] Todos los remedios homeopáticos tienen nombres en latín, pues éste era el lenguaje científico de la época de Hahnemann (véase página 18) y aún lo es en algunas disciplinas, por ejemplo, botánica y zoología. Los remedios de origen vegetal y animal reciben el nombre de la especie, y los remedios de origen mineral llevan el nombre latinizado de la sustancia química —por ejemplo, la sal común (cloruro de sodio) es *Natrum muriaticum*, arsénico blanco es *Arsenicum album*, nitrato de plata es *Argentum nitricum* y así los demás.

3. Cómo llegan los médicos a la homeopatía

[1] Remojo o divinación es un método para obtener información que no suele ser accesible a la mente. La forma más conocida es la divinación con agua, donde el practicante utiliza varas de distintas clases (la más tradicional es una rama bífida de avellano) para detectar la presencia de agua bajo tierra. Es posible divinar cualquier cosa y, comercialmente, esta facultad sirve no sólo para detectar agua y trayectos acuáticos y drenajes profundos, sino también para encontrar depósitos de petróleo y minerales. También es útil para encontrar artículos perdidos y detectar objetos enterrados en sitios arqueológicos. En el contexto médico, es útil para diagnosticar las alteraciones de un paciente y seleccionar el remedio adecuado. En estos casos suele utilizarse un péndulo —en vez de una vara o rama.
[2] La radiónica es una disciplina en que se diagnostica el problema del enfermo mediante una técnica divinatoria apoyada en el uso de una máquina de diagnóstico radiónico. El tratamiento también se determina con divinación y el remedio

puede ser "radiado" al paciente, utilizando también la máquina radiónica. Para más detalles, recomendamos la lectura de *Report on Radionics* de Edward W. Russell (2a. edición, Neville Spearman, 1979).

[3] Ácido desoxirribonucleico (ADN) es el nombre bioquímico de un elemento biológico complejo responsable de transmitir las características heredadas de una generación a otra. La unidad de ADN responsable de cada característica hereditaria se conoce como gen y los efectos de muchos genes provocan la transmisión de características tan simples como estatura, constitución corporal y color de ojos. Los genes se agrupan para formar estructuras llamadas cromosomas, los cuales se encuentran en el núcleo de las células. Además de las células reproductoras (espermatozoide y óvulo), todas las células del cuerpo tienen un complemento cromosómico idéntico.

[4] Ácido ribonucleico (ARN) es el nombre bioquímico de una molécula biológica compleja similar, aunque no idéntica, al ADN. La función del ARN es servir de intermediario entre el gen (la unidad de herencia) y la formación de proteínas, que es el primer paso para utilizar la información que poseen los genes y convertirla en características físicas.

4. Antecedentes de la salud y la enfermedad

[1] Vithoulkas, George. *The Science of Homoeopathy*. ASOHM, 1978.
[2] Watson, E. Grant. *The Mystery of Physical Life*. Abelard-Schuman, Londres, Nueva York, Toronto, 1964.
[3] Cantle, S. "Consultant Stands by Finger Regrowth Claim", *Hospital Doctor*, septiembre 15, 1983, p. 28.

7. ¿Cómo funciona la homeopatía?

[1] Stillinger, F.H. "Water Revisited", *Science, 209*, 1980, pp. 451-457.
[2] Narten, A.H. y Levy, H.A. "Observed Diffraction Pattern and Proposed Models for Liquid Water", *Science, 165*, 1969, pp. 447-454.

[3] Frank, H.S. "The Structure of Ordinary Water", *Science, 169*, 1970, pp. 635-641.

[4] Eisenberg, D. y Kauzmann, W. *The Structure and Properties of Water*. Clarendon Press, 1969.

[5] Barnard, G.P. y Stephenson, J.H. "Microdose Paradox: A New Biophysical Concept", *J. Am. Inst. Hom., 60*, 1967, pp 277-286.

[6] Heintz, E. "The Physical Effect of Highly Diluted Potentized Substances", *Die Naturwissenschaften, 29*, 1941, pp. 713-725.

[7] Smith, R.B. y Boericke, G.W. "Modern Instrumentation for the Evaluation of Homoeopathic Drug Structure", *J. Am. Inst. Hom., 59*, 1966, pp. 263-280.

[8] Wolfram, S. "Cellular Automata as Models of Complexity", *Nature, 311*, 1984, pp. 419-424.

[9] Horrobin, D.F. *Prostaglandins: Physiology, Pharmacology and Clinical Significance*, Churchill Livingstone, Edimburgo, 1978.

[10] Hahnemann, S. *The Chronic Diseases: Their Peculiar Nature and their Homoeopathic Cure*. C. Ringer and Co., Calcuta, traducción de la segunda edición, 1835.

8. Relación de la homeopatía con otras formas de tratamiento

[1] Enzimas y coenzimas: una enzima es una proteína especializada que permite que un organismo vivo realice complejas reacciones químicas a temperatura corporal y presión atmosférica normales. Casi siempre una reacción específica tiene una enzima propia, aunque en ocasiones una enzima puede participar en dos o más reacciones similares. Muchas enzimas, para su adecuado funcionamiento, requieren de otras sustancias llamadas coenzimas o cofactores, que son pequeñas moléculas (vitaminas u otros elementos orgánicos y minerales) y por esta razón dichas sustancias son fundamentales.

[2] Diesendorf, M. "The Mystery of Declining Tooth Decay", *Nature, 322*, 1986, pp. 125-129.

[3] Smith, G.E. "A Surfeit of Fluoride?", *Sci. Prog. Oxf., 69*, 1985, pp. 429-442.

[4] El término saturado, aplicado a las grasas, se refiere al número de átomos de hidrógeno que se unen a un átomo de carbono en la molécula. La columna vertebral de la cadena de ácidos grasos está compuesta de varios átomos de carbono

enlazados al hidrógeno de la siguiente forma:

$$
\begin{array}{ccccc}
 & H & H & H & H \\
 & | & | & | & | \\
H - & C - & C - & C - & C - \text{etc.} \\
 & | & | & | & | \\
 & H & H & H & H
\end{array}
$$

Cada átomo de carbono tiene cuatro enlaces o valencias. En la parte principal de la cadena, dos valencias están unidas a otros átomos de carbono y dos más a los átomos de hidrógeno, como aparece arriba. Esto hace que la grasa saturada sea sólida a temperatura ambiente.

Sin embargo, en ocasiones los átomos de hidrógeno no ocupan todos los enlaces disponibles en el carbono, y producen la siguiente configuración:

$$
\begin{array}{ccccc}
 & H & H & H & H \\
 & | & | & | & | \\
H - & C - & C = & C - & C - \text{etc.} \\
 & | & & & | \\
 & H & & & H
\end{array}
$$

En este caso, dos átomos de carbono tienen un átomo de hidrógeno menos de lo habitual, y por ello hay un enlace adicional entre ellos. Esto, en química, produce lo que se llama un doble enlace. Esta grasa está insaturada, es decir, puede captar más hidrógeno para saturarse. Los aceites vegetales son poliinsaturados, lo que significa que contienen varios dobles enlaces, y esto los vuelve líquidos a temperatura ambiente.

Una molécula saturada es simétrica y sólo puede tener una configuración; la molécula insaturada es asimétrica. El ejemplo que aparece arriba puede tener dos configuraciones conocidas como cis (hidrógenos del mismo lado del doble enlance) y trans (hidrógenos en lados opuestos). Estos nombres se derivan del latín cis (este lado) y trans (a través), como en Galia Cisalpina y Transalpina, en los tiempos de la antigua Roma.

218

```
   H   H   H   H                H   H       H
   |   |   |   |                |   |       |
H— C — C = C — C — etc.     H — C — C = C — C — etc.
   |       |                    |   |   |
   H       H                    H   H   H

   a) forma cis                    b) forma trans
```

La forma cis es la que se encuentra con mayor abundancia en la naturaleza.

[5] Barlow, W. The Alexander Principle. Arrow Books, 1975.

[6] Chancellor, Phillip M. Handbook of the Bach Flower Remedies. C.W. Daniel Ltd., Ashingdon, Essex, 1971.

[7] Dosch, Peter Manual of Neural Therapy According to Huneke (edición inglesa), Haug Verlag, Heidelberg, 1984.

[8] El entrenamiento autogénico es una técnica parecida a la autohipnosis, que permite lograr calma interior y relajamiento. Incorpora aspectos de hipnosis, psicoanálisis y yoga, y es muy útil para mejorar el rendimiento del individuo en cualquier habilidad que necesite perfeccionar. Los esquiadores, jugadores de tenis y otros deportistas suelen utilizar esta técnica, pero es posible aplicarla en cualquier situación en que sea necesario mejorar el rendimiento.

[9] Autohipnosis es una forma de hipnosis en la que el paciente es el propio hipnotizador. Un terapeuta le enseña a ponerse en estado de relajación profunda, en el cual se encuentra abierto a las sugestiones positivas que quiera hacerse para mejorar su bienestar, autoimagen, capacidad para enfrentar situaciones difíciles y otros aspectos. Esta técnica permite que el paciente no dependa del terapeuta y le proporciona un instrumento que puede utilizar cuando surja la necesidad.

[10] Blyth, Peter, Conferencia sobre hipnoterapia, Glasgow, 1986.

[11] Gibson, S.L.M. "Arthritis", Homeopathy Today, número de otoño, 1985, pp. 22-25.

[12] Gibson, R.G., Gibson, S.L.M., Conway, V. y Chappell, D. "Perna canaliculus in the Treatment of Arthritis", Practitioner, 224, 1980, pp. 955-960.

9. ¿Funciona la homeopatía? Resultados de las Investigaciones

1 Narten, A.H. y Levy, H.A. "Observed Diffraction Pattern and Proposed Models of Liquid Water", Science, 165, 1969, pp. 447-454.

2 Symons, M.C.R., Blandamer, M.J. y Fox, M.F. "Is Water Kinky?", New Scientist, 34, 1967, pp. 345-346.

3 Stillinger, F.H. "Water Revisited", Science, 209, 1980, pp. 451-457.

4 Frank, H.S. "The Structure of Ordinary Water", Science, 169, 1970, pp. 635-641.

5 Schwenk, Theodor. Sensitive Chaos. Rudolf Steiner Press, 1965.

6 Bridgman, P.W. The Physics of High Pressure. Bell, 1949.

7 Barnard, G.P. "Microdose Paradox: A New Concept", J. Am. Inst. Hom., 58, 1965, pp. 205-212.

8 Barnard, G.P. y Stephenson, J.H. "Microdose Paradox: A New Biophysical Concept", J. Am. Inst. Hom., 60, 1967, pp. 277-286.

9 Stillinger, F.H. "Water Revisited", Science, 209, 1980, pp. 451-457.

10 Anbar, M. "Chemical Reactions Induced by Sound", New Scientist, 30, 1966, pp. 365-367.

11 Heintz, E. "The Physical Effect of Highly Diluted, Potentized Substances", Die Naturwissenschaften, 29, 1941, pp. 713-725.

12 Smith, R.B. y Boericke, G.W. "Modern Instrumentation for the Evaluation of Homoeopathic Drug Structure", J. Am. Inst. Hom., 59, 1966, pp. 263-280.

13 Kolisko, L. Physical and Physiological Demonstration of the Effect of the Smallest Entities 1923-1959. Arbeitsgemeinschaft anthrop. Arzte, Stuttgart, 1959.

14 Boyd, W.E. "Biochemical and Biological Evidence of the Activity of High Potencies", Br. Hom. J., 44, 1954, pp. 6-44.

15 Basold, A. Elem. Naturwiss., 8, 1968, p. 32.

16 Bockemuhl, J. Elem. Naturwiss., 8, 1968, p. 27.

17 Flemming, H. Elem. Naturwiss., 20, 1974, p. 26.

18 Amons, F. y Mansvelt, J. Elem. Naturwiss, 17, 1972, p. 27.

19 Amons, F. y Mansvelt, J. Zeitschrift Naturforsch., 30, 1975, p. 613.

[20] Kollerstrom, J. "Basic Scientific Research into the 'Low-Dose Effec' ", *Br. Hom. J.*, *71*, 1982, pp. 41-47.

[21] Boiron, J. y Marin, M. "Action d'une 15e CH de sulfate de cuivre sur la culture de Chlorella vulgaris", *Assises scientifiques homéopathiques*, *9*, 1970, pp. 25-32.

[22] Graviou, E. y Biron, A. *Les annales homéopathiques francaises*, *13*, 1971, pp. 539-548.

[23] Moss, V.A., Roberts, J.A. y Simpson, H.K.L. "The Effect of Copper Sulphate on the Growth of the Alga Chlorella", *Br. Hom. J.*, *66*, 1977, pp. 169-177.

[24] Moss, V.A., Roberts, J.A. y Simpson, K. "The Action of 'Low Potency' Homoeopathic Remedies on the Movement of Guinea-Pig Macrophages and Human Leucocytes", *Br. Hom. J.*, *71*, 1982, pp. 48-61.

[25] Pelikan, W. y Unger, G. "The Activity of Potentized Substances", *Br. Hom. J.*, *60*, 1971, pp. 233-266.

[26] Jones, R.L. y Jenkins, M.D. "Plant Responses to Homoeopathic Remedies", *Br. Hom. J.*, *70*, 1981, pp. 120-128.

[27] Jones, R.L. y Jenkins, M.D. "Comparison of Wheat and Yeast as in vitro Models for Investigating Homoeopathic Medicines", *Br. Hom. J.*, *72*, 1983, pp. 143-147.

[28] Jones, R.L. y Jenkins, M.D. "Effects of Hand and Machine Succussion on in vitro Activity of Potencies of Pulsatilla", *Br. Hom. J.*, *72*, 1983, pp. 217-223.

[29] Steffen, W. "Growth of Yeast Cultures as in vitro Model for Investigating Homoeopathic Medicines: Some Further Studies", *Br. Hom. J.*, *74*, 1985, pp. 132-139.

[30] Singh, L.M. y Gupta, G. "Antiviral Efficacy of Homoeopathic Drugs against Animal Viruses", *Br. Hom. J.*, *74*, 1985, pp. 168-174.

[31] Lapp, C., Wurmser, L. y Ney, J. "Mobilisation de l'arsenic fixe chez le cobaye sous l'influence de doses infinitésimales d'arséniate de sodium", *Thérapie*, *10*, 1955, pp. 625-638.

[32] Boiron, J., Abecassis, J. y Belon, P. "A Pharmacological Study of the Retention and Mobilization of Arsenic as Caused by Hahnemannian Potencies of *Arsenicum album* ", *Aspects of Research in Homoeopathy*, *1*, 1983, pp. 19-25.

[33] Boiron, J., Abecassis, J. y Belon, P. "The Effects of Hahnemannian *Mercurius corrosivus* Potencies upon de Multiplication of Cultured Fibroblasts Poisoned with Mercury Chloride", ibid., pp. 51-60.

[34] Boiron, J. Abecassis, J. y Belon P. "The Action of *Gelsemium sempervirens* Tincture upon the Capture of Neurotransmitters by Sinaptosomal Preparations of Various Fractions of Rat Brain", ibid., pp. 39-50.

[35] Boiron, J., Abecassis, J. y Belon, P. "The Effects of Hahnemannian Potencies of 7C Histaminum and 7C *Apis mellifica* upon Basophil Degranulation in Allergic Patients", ibid., pp. 61-66.

[36] Gibson, R.G. y Gibson, S.L.M. "A New Aspect of Psora: The Recognition and Treatment of House-Dust-Mite Allergy", *Br. Hom. J., 69*, 1980, pp. 151-158.

[37] Reilly, D.T. y Taylor, M.A. "Potent Placebo or Potency?", *Br. Hom. J., 74*, 1985, pp. 65-75.

[38] Reilly, D.T., Taylor, M.A., McSharry, C. y Aitchison, T. "Is Homoeopathy a Placebo Response?", *Lancet, ii*, 1986, pp. 881-886.

[39] Gibson, R.G., Gibson, S.L.M., MacNeill, A.D., Gray, G.H., Dick, W.C. y Buchanan, W.W. "Salicylates and Homoeopathy in Rheumatoid Arthritis: Preliminary Observations", *Br. J. Clin. Pharmac., 6*, 1978, pp. 391-395.

[40] Gibson, R.G., Gibson, S.L.M., MacNeill, A.D. y Buchanan, W.W. "Homoeopathic Therapy in Rheumatoid Arthritis: Evaluation by Double-Blind Clinical Therapeutic Trial", *Br. J. Clin. Pharmac., 9*, 1980, pp. 453-459.

[41] Gibson, R.G., Gibson, S.L.M., MacNeill, A.D. y Buchanan, W.W. "The Place for Non-Pharmaceutical Therapy in Chronic Rheumatoid Arthritis: A Critical Study of Homoeopathy", *Br. Hom. J., 69*, 1980, pp. 121-133.

[42] Shipley, M., Berry, H., Broster, G., Jenkins, M., Clover, A. y Williams, I. "Controlled Trial of Homoeopathic Treatment of Arthritis", *Lancet, i*, 1983, pp. 97-98.

[43] Gracely, R.H., Dubner, R., Deeter, W.R. y Wolskee, P.J. "Clinicians' Expectations Influence Placebo Analgesia", *Lancet, i*, 1985, p. 43.

11. Tendencias futuras

[1] Candy, J.M. et al. "Aluminosilicates and Senile Plaque Formation in Alzheimer's Disease", *Lancet, i*, 1986, pp. 354-357.

[2] Reyner, J.H. Psionic Medicine: *The Study and Treatment of the Causative Factors in Illness*. Routledge & Kegan Paul, 1974, 1982.

[3] Laurence, George. "The Unitary Conception of Disease in Relation to Radiesthesia and Homoeopathy", *Radiesthesia, iv*, 1952, pp. 68-79.

[4] Boyd, W.E. "Electro-Medical Research and Homoeopathy", *Br. Hom. J., 20*, 1930, pp. 299-317.55.

[5] Kenyon, Julian N. *21st-Century Medicine: A Layman's Guide to the Medicine of the Future*. Thorsons Publishers Limited, Wellingborough, 1986.

[6] Eeman, L.E. *Co-operative Healing*, Frederick Muller, 1947.

[7] Subud es una hermandad espiritual originada en Indonesia durante la década de 1920. En sí misma, no es una religión, aunque abarca todas las religiones y reconoce la validez de cada una. No tiene dogma o enseñanza religiosa y está abierta a todos los que quieran rendirse a la voluntad de Dios. El nombre Subud es una abreviatura de tres palabras de origen sánscrito: susila, budhi y dharma. Susila implica la conducta humana en armonía con la voluntad de Dios, budhi es la fuerza interior o fuerza vital de todos los seres, incluido el hombre, la cual los acerca a Dios, y dharma significa sincera rendición y sumisión a la voluntad de Dios. El objetivo de Subud es fortalecer nuestro bienestar, el de los otros seres humanos y el mundo en su totalidad, y hacer que nuestro planeta sea un sitio mejor, más sano y armonioso para vivir; esto sólo puede lograrse mediante la sumisión a la voluntad de Dios y la vida en armonía con ésta.

Apéndice 1. Remedios caseros útiles

Aunque el tratamiento homeopático de enfermedades crónicas es difícil y siempre debe estar bajo la supervisión de un especialista, las lesiones y emergencias agudas están indicadas para un tratamiento homeopático de primeros auxilios y automedicación. Los siguientes remedios son valiosas adiciones a cualquier botiquín casero y sus indicaciones para uso en urgencias son muy sencillas. Las que están marcadas con un asterisco se encuentran en el botiquín casero de remedios e incluyen instrucciones completas para su uso. A menos que se indique lo contrario, deben administrarse a la trigésima potencia (potencia 30).

Aconitum napellus, * acónito, napelo. Indicaciones principales: *conmoción, fiebre* y efectos posteriores de un *espanto.*
Para conmoción, crup (difteria, garrotillo) y los efectos de espantos o escalofríos; cualquier emergencia como accidentes, mordeduras de animales, asma, hemorragia, aflicción, etcétera; si hay temor, angustia, falta de aire, palpitaciones, temblores o entumecimiento y cosquilleo. Use al iniciar la fiebre si el paciente tiene sed, inquietud o ansiedad, en particular si el ataque agudo se inicia alrededor de 1 o 2 de la mañana.

Alérgicos, remedios. Indicación principal: *alergias.*
Los remedios más utilizados son piel de gato 30, pelo de perro 30, pólenes mixtos de hierba 30, caspa de caballo 30 y polvo casero 200. Son muy útiles cuando se sabe que el paciente tiene alergia a estos agentes.

Allium cepa, cebolla roja. Indicaciones principales: *resfriados y fiebre del heno.*
Un buen remedio al inicio de un resfriado o ataque de fiebre del heno. Hay estornudos con escurrimiento líquido de la nariz, el cual quema como fuego y puede provocar una escoriación del labio superior. Los ojos están irritados, doloridos y enrojecidos, pero la secreción es suave. El lagrimeo es más abundante en el interior de la casa y por la noche, y mejora en el exterior, pero la tos empeora con el aire frío. La inflamación pronto se extiende a oídos, nariz y laringe.

Antimonium crudum, * sulfuro negro de antimonio. Indicación principal: *estómago.*
Para alteraciones gástricas en un paciente molesto, irritable, deprimido. Para un bebé que vomita la comida, tiene lengua blanquecina y escoriaciones en las esquinas de la boca. Para falta de apetito y dolores de cabeza constipados por catarro, alcohol o después de bañarse. El paciente quiere bebidas ácidas, agrias o pepinillos encurtidos y está hinchado con eructos.

Antimonium tartaricum, * tártaro emético. Indicación principal: *tos con pecho congestionado.*
El paciente está irritable, soñoliento y muy débil, frío con sudor pegajoso, rostro pálido o azulado y lengua blanquecina. Hay falta de aire, sofocación, boquea para respirar y necesita sentarse. Hay tos estertorosa pero con incapacidad para escupir flemas. El paciente empeora con calor.

Apis mellifica, miel de abeja. Indicaciones principales: *inflamación con hinchazón y sensación punzante.*
Inflamación aguda con hinchazón y enrojecimiento, sensación punzante y quemante; con mucha sensibilidad en la zona afectada a cualquier forma de calor, y alivio con fomentos o baños fríos. Garganta irritada,

urticaria, orzuelo, mordeduras de insectos, picadura de abeja, reacciones alérgicas con las indicaciones antes mencionadas.

Arnica, * árnica, veneno de leopardo. Indicaciones principales: *lesión y golpe o magulladura.*
Para golpes, torceduras, contusiones, machacamiento de dedos, accidentes en carretera, etcétera. Si el paciente está en choque dar acónito en primer lugar. También para agotamiento y dolor muscular por esfuerzo, ejercicio o trabajo muscular excesivo. Use antes y después de cirugía dental.

Arsenicum album, * trióxido de arsénico. Indicaciones principales: *vómito y diarrea.*
Para situaciones donde el vómito y la diarrea se presentan simultáneamente, por ejemplo, catarro intestinal, envenenamiento con alimentos y otros padecimientos. El paciente experimenta mucho frío, ansiedad y gran inquietud, está agotado pero no puede descansar. Hay dolor quemante en el estómago, sed con deseos de tomar sorbos de bebidas tibias y necesidad de calor. El paciente no soporta la presencia ni el olor de la comida.

Belladonna, * beleño, hierba mora, solano, dulcámara, belladona. Indicaciones principales: *dolor de oídos y fiebre.*
Para la fiebre si el paciente está muy caliente, ruborizado, con ojos dilatados y agitado, tal vez delirante y no soporta los ruidos fuertes o la luz. El paciente debe permanecer arropado y tiene sed, pero no quiere beber líquidos. La belladona es específica para la escarlatina, que se observa rara vez en la actualidad. También se utiliza en garganta irritada, cólico, dolor de cabeza que palpita, furúnculos dolorosos y dolor intenso de oído con los síntomas anteriores, y para los efectos de la insolación.

Bryonia, * lúpulo silvestre. Indicaciones principales: *dolor o jaqueca (cefalea)*.

Para dolores de cabeza que estallan, migraña, artritis, pleuresía –en particular si fue provocada por una exposición al viento frío del este–, y *sólo* si los dolores empeoran con el movimiento, la respiración o el calor, y mejoran con presión, al acostarse y mantenerse frescos. El paciente se muestra malhumorado, irritable, sediento y quiere tomar bebidas frías.

Calendula officinalis, caléndula, maravilla, virreina. Indicación principal: *curación de úlceras*.

Asombrosos resultados de curación al aplicarla localmente, útil para heridas abiertas y áreas como úlceras que no cicatrizan. Es hemostático después de una extracción dental. Use como tintura o ungüento.

Camphora, * alcanfor. Indicación principal: *escalofrío*.

Cuando sienta mucho frío después de un enfriamiento. Para la primera etapa de un resfriado o "influenza", cuando el paciente tiene frío, estornudos, mejora con calor y se siente helado. Para diarrea provocada por un enfriamiento.

Cantharis *, cantárida, abadejo. Indicaciones principales: *infecciones de la vejiga, cistitis y quemaduras*.

Para cistitis cuando la orina quema y sale en gotas, acompañada de insoportable urgencia y frecuencia. También para quemaduras y escaldaduras que mejoran con fomentos fríos, y para ampollas que dan comezón y sensación quemante. Para picaduras de mosquito y jején.

Carbo vegetabilis, * carbón vegetal. Indicaciones principales: *gases y colapso*.

Usar cuando el estómago esté muy distendido y expulse gases por boca y ano. El paciente tiene que sentarse y aflojarse la ropa. Para colapso, si el paciente se encuentra pálido o amoratado, sin pulso, frío, con sudor frío, necesita incorporarse con almohadas, respira con dificultad, necesita aire y, aunque tiene frío, quiere que lo abaniquen.

Chamomilla, * manzanilla. Indicaciones principales: *dolor enloquecedor y bebés en etapa de dentición.*
Para dolores insoportables, de oído, dientes, para la salida de dientes que mejora cuando cargan al bebé y tiene una mejilla roja y caliente, mientras que la otra está pálida. También para cólico y diarrea con deposiciones verdosas en un enfermo impaciente y malhumorado que empeora con el calor y la ira.

Colocynthis, * coloquíntida. Indicación principal:*cólico.*
Para dolor cólico muy intenso que mejora al doblarse, con la presión, el calor y movimientos de torsión. Gran inquietud. Dolores profundos que ocasionan distensión, eructos, vómito y a veces diarrea. Cólico y neuralgia debidos a ira y "dejarse llevar por la cólera". Dismenorrea. Todos los malestares causados por la ira.

Euphrasia, * eufrasia, anagálide, murajes. Indicaciones principales: *sarampión y fiebre del heno.*
Al inicio del sarampión cuando hay lagrimeo, las lágrimas queman y el paciente no tolera la luz. Escurrimiento de nariz, estornudos y tos, dolor de cabeza palpitante y fiebre del heno con los mismos síntomas. Empeora dentro de la casa, con el calor y por la noche.

Ferrum phosphoricum, fosfato ferroso. Indicaciones principales: *resfriados y hemorragias nasales.*
Para la primera etapa de la inflamación como fiebres, resfriados u otras infecciones virales, o dolor de oído cuando el paciente está ruborizado y caliente, a menudo tiene las mejillas enrojecidas y es sensible al

frío y al viento frío (comparado con belladona, donde toda la cara se encuentra enrojecida). El paciente de fosfato ferroso está más alerta que el paciente de belladona y está menos ansioso y atemorizado que el paciente de acónito. Puede haber tendencia a hemorragias nasales y a menudo hay tos seca.

Gelsemium, * gelsemio, jazmín amarillo. Indicaciones principales: *influenza y debilidad nerviosa.*
Usar cuando el paciente tenga calor, rubor, dolor, temblor, mareo, somnolencia y sensación de estar "drogado" o "débil y tembloroso". Hay dolor de cabeza, pesantez de miembros y ojos, frío en la espalda y estornudos, escurrimiento nasal, garganta irritada y dificultad para tragar. No hay sed. También se utiliza en alteraciones por "nervios".

Hepar sulphuris calcareum, el sulfhidrato de calcio de Hahnemann. Indicaciones principales: *abscesos, úlceras y furúnculos* en un paciente *irritable.*
Hay hipersensibilidad física e irritabilidad mental. El paciente es hipersensible al tacto, el frío y el dolor, y tiende a supurar. Para las primeras etapas de furúnculos, úlceras, abscesos, etcétera. A menudo los pies tienen olor agridulce y desagradable. Los abscesos mejoran con calor local.

Hypercal, mezcla de hypericum y caléndula. Indicación principal: *curación de heridas.*
Su acción es parecida a la de caléndula, pero es mucho más eficaz. Se utiliza para la curación de heridas, llagas, úlceras, etcétera. Utilice como tintura: dos a tres gotas en medio a un litro de agua, o como ungüento.

Hypericum, hierba de San Juan, hipérico, castellar, todabuena. Indicación principal: *lesiones nerviosas.*
Para lesiones nerviosas acompañadas de dolor y para heridas por incisión, laceración o contusión en que el

230

dolor es intenso y, tal vez, de larga duración. También para las consecuencias de una contusión en la columna.

Ipecacuanha, * ipecacuana, bejuquillo. Indicaciones principales: *náusea y tos.*
Para náusea persistente, quizá con vómito, y lengua limpia con mucha salivación. Para el inicio de ataques violentos y asfixiantes de respiración de tipo asmático (jadeo) y tos. También para hemorragias nasales y otras hemorragias acompañadas de náusea.

Kali bichromicum, bicromato de potasio. Indicaciones principales: *tos con flema* o *catarro espeso, pegajoso.*
Hay secreciones espesas, pegajosas, gelatinosas y fibrosas de color verde o amarillo en las mucosas de ojos, oídos, nariz o garganta. Los síntomas van y vienen de pronto y los dolores aparecen en distintas partes. El dolor articular suele ir acompañado de diarrea, problemas respiratorios o trastornos digestivos. Estos pacientes se enfrían con facilidad y empeoran en clima cálido o templado. La tos es peor entre 2 y 3 de la mañana.

Lachesis, el veneno de la serpiente laquesida o Surukuku. Indicaciones principales: *garganta irritada, furúnculos y abscesos.*
Para gargantas irritadas, furúnculos, abscesos y dolor menstrual cuando los síntomas son más intensos al despertar en un paciente locuaz, celoso, suspicaz y excitable. Los síntomas a menudo son más intensos en el lado izquierdo del cuerpo, o se inician del lado izquierdo y pasan después al derecho. El paciente es sensible a la presión de la ropa, en particular alrededor del cuello o la cintura. Puede haber sensibilidad de los ojos a la luz, el ruido lastima y también el contacto más suave, aunque una presión firme puede dar alivio. A menudo desea encontrarse al aire libre y prefiere temperaturas bajas al calor, aunque cualquier extre-

mo de temperatura los debilita. Las áreas inflamadas suelen ser de color azul oscuro o amoratadas.

Ledum palustre, té de pantano. Indicación principal: *heridas por punción o penetrantes.*
Útil en picaduras y heridas por punción, en particular las que son sensibles al tacto, abscesos dolorosos y estados sépticos que mejoran con el frío, y para astillas bajo las uñas. Los dolores empeoran con el calor y mejoran con el frío. También lesiones del ojo o alrededor de ojo y nariz. A menudo sigue bien al tratamiento con árnica.

Magnesia phosphorica, fosfato de magnesio. Indicación principal: *dolor cólico.*
Útil en dismenorrea (dolor menstrual) cuando el dolor hace que la paciente se doble, mejora con presión y calor local y empeora con el frío. También en cólico flatulento acompañado de eructos que no dan alivio. En niños, las piernas están lexionadas. También en neuralgia con dolor detrás de la oreja derecha. Los cólicos de magnesia phosphorica no son precipitados por la ira como sucede con colocynthis.

Mercurius solubilis, * mercurio. Indicación principal: *resfriado febril.*
Usar cuando el paciente tenga escalofríos en el frío y calor en clima templado, debilidad y temblor con sudor y aliento malolientes. Hay un catarro abundante verdoso y mucha salivación, sed y diarrea con pujo constante, salida de moco y, posiblemente, algo de sangre. Todos los síntomas empeoran por la noche.

Natrum muriaticum, * cloruro de sodio, sal común. Indicaciones principales: *resfriados recurrentes y depresión.*
Para resfriados "con estornudo", aftas y si hay mucho catarro nasal; si el paciente siente frío, pero empeora

en una habitación cálida. El paciente tiene piel grasienta, gusta de la sal, está sediento, irritable, cansado y tal vez lloroso. Pida consejo al médico en caso de depresión. No trate de automedicarse.

Nux vomica, * nuez vómica. Indicaciones principales: *padecimientos del estómago e influenza.*
Para un paciente con frío, irritable y, tal vez, propenso a discutir, con indigestión retardada, náusea, estreñimiento o deposiciones intestinales frecuentes e insuficientes; hemorroides pruriginosas; influenza o garganta irritada, si hay frío al estar descubierto. Catarro constipado y si el paciente empeora con el aire frío; gangueo en niños irritables.

Phosphorus, * fósforo. Indicación principal: *laringitis y vómito de repetición.*
Usar cuando el pecho esté congestionado, en paciente ronco con dolor al hablar; tal vez haya pérdida de voz. Tos seca, desgarradora y que provoca cosquilleo, empeora con aire frío y al hablar. Gastritis con deseo de consumir líquidos fríos que pueden ser vomitados de inmediato. Nerviosismo y dolor de cabeza intenso.

Podophyllum, podófilo, manzana de mayo. Indicación principal: *Gastroenteritis flatulenta.*
Útil en niños con síntomas de gastroenteritis, dolor cólico y vómito biliar. Las evacuaciones son pastosas y malolientes, a menudo por la mañana o durante la dentición en un niño con mejillas rojas y relucientes. El paciente sólo se siente cómodo acostado sobre el vientre. El abdomen está distendido, con mucho ruido y burbujear de gases. Constipación alternada con diarrea, y hay mucho flato al defecar.

Pulsatilla, * anemone, anémona. Indicaciones principales: *catarro y sarampión.*
Para un catarro espeso y de color en párpados y nariz,

pérdida del olfato y boca reseca sin sed. El paciente mejora al aire libre; tos catarral que empeora en habitación tibia. También para sarampión e indigestión por alimentos grasientos y abundantes.

Rhus toxicodendron, * zumaque venenoso, hiedra venenosa. Indicaciones principales: *reumatismo y artritis*. Para el dolor y la rigidez que empeoran con clima húmedo y aire frío, en cama y después de descansar. Mejoran con movimiento, aunque hay dolor al principio. Mejora con movimiento constante. Para influenza y tos seca con los síntomas anteriores. También para ampollas que producen comezón y herpes si el paciente es inquieto. Torcedura de tendones.

Ruta, ruda. Indicaciones principales: *torceduras y desgarros de tendones y ligamentos*.
Útil para membranas sinoviales y dolor que acompaña las lesiones perióseas, golpes que dejan induraciones y masas duras en los tendones. Ciática que empeora al acostarse por la noche, acompañada de la inquietud del rhus toxicodendron y la sensación dolorosa de árnica.

Spongia tosta, esponja tostada. Indicaciones principales: *crup y tos perruna*.
Un buen remedio para crup y tos perruna y seca, con ronquera, como si la laringe estuviera seca, quemada y apretada. La respiración puede ser agitada como en el asma. Los síntomas ceden después de comer y beber. La tos parece salir de un lugar muy profundo en el pecho.

Sulphur, * azufre. Indicación principal: *erupciones cutáneas*.
Para erupciones de la piel que provocan comezón y sensación quemante y empeoran con calor, rascado, lavado y el contacto con la ropa. Furúnculos, hemorroides y orzuelos quemantes. El paciente tiene ham-

234

bre, se fatiga con facilidad, tiene "bochornos" calientes, diarrea por la mañana y pies calientes que debe mantener descubiertos al acostarse.

Symphytum, consuelda, sínfito. Indicación principal: *fracturas*.
Para utilizar en heridas que afecten a los huesos y en puntos que no sean de unión en fracturas, lesiones traumáticas al ojo y lesiones en articulaciones, tendones y periostio. Parece que actúa en huesos y articulaciones en general.

Urtica urens, ortiga urticante. Indicación principal: *quemaduras*.
Dará alivio casi instantáneo al dolor en quemaduras y escaldaduras, con rápida curación. También responden las quemaduras antiguas que no han cicatrizado. Es útil su aplicación local en picadura de abejas y edema angioneurítico. Use como tintura, crema o ungüento.

Apéndice 2. Cómo evitar el contacto con ácaros que habitan en el polvo doméstico

Camas y sábanas

Éste es el aspecto más importante. Las almohadas deben ser lavables, no alergénicas o de terileno. Los colchones deben ser de hule espuma sólida o recién tapizados, cubiertos antes de usarlos con un plástico de buena calidad o una cubierta de PVC; esta cubierta impide cualquier penetración de escamas de la piel o ácaros en el colchón, ya sea de hule espuma o tapizado, y tiene la ventaja de que es fácil de limpiar. Las escamas de la piel son la fuente de alimentación de los ácaros. Todo colchón recién tapizado se encuentra infestado por completo con ácaros a los tres meses, si no está cubierto antes de utilizarlo. Utilizar una cubierta de plástico o vinilo en cualquier colchón usado provoca el desarrollo de hongos y sólo sirve como medida de corto plazo –no más de uno o dos meses. Los protectores de colchón de acrilán o poliéster pueden contrarrestar la sensación fría de la cubierta de plástico y evitan que se resbalen las sábanas del colchón.

Todas las frazadas, sábanas, edredones o cobijas deben ser lavables y hay que lavarlas y exponerlas al aire lo más posible. Las telas de algodón/poliéster, acrilán y dacrón son ideales. Si utiliza estos materiales, podrá lavar el protector de colchón, las sábanas y cobijas por la mañana, y aun en invierno estarán secas y listas para usarlas por la noche. Esto evita la necesidad de comprar más sábanas, cobertores, etcétera, para cumplir con el requisito de lavado bimestral o trimestral.

La base de la cama debe ser sencilla, de resortes o tablas de madera, y no una base forrada con tela, a menos que esté cubierta con un buen plástico o una cubierta de PVC.

Otros puntos importantes

- Los juguetes suaves, como osos de peluche, son presa de los ácaros del polvo doméstico, por ello es necesario que estén hechos de telas lavables y reciban el mismo tratamiento de la cama.
- Quienes padecen de alergia a los ácaros del polvo doméstico no deben dormir, o saltar, en otras camas, a menos que hayan sido tratadas de la misma manera que la propia.
- Si hay más de una cama en la habitación del paciente, habrá que tratarlas del mismo modo, de lo contrario tendrán un efecto de "aerosol" de ácaros de polvo doméstico cada vez que sus ocupantes se muevan.
- Evite que los niños salten en muebles tapizados, se arrastren bajo las camas o se oculten en el armario.
- Nunca aspire las alfombras en presencia de estos pacientes alérgicos, y de preferencia deben transcurrir más de dos horas antes de que se encuentren en esa habitación.
- Si el paciente es un ama de casa, es aconsejable que todas las camas de la casa reciban el mismo tratamiento, para que no se encuentre expuesta al manipular las camas de otros miembros de la familia. También debe conseguir ayuda de otra persona que aspire en su lugar, o utilizar una mascarilla de protección mientras utilice este aparato.
- Hay que evitar la calefacción central por ductos, pues esto disemina a los ácaros del polvo doméstico a través de toda la casa.

Vacaciones

El problema de las habitaciones en días de vacaciones se resuelve con facilidad. Los pacientes deben llevar su propia almohada, una hoja grande de plástico de buena calidad y una bolsa para dormir lavable (y sábanas, si lo desea). Colocará el plástico sobre toda la cama y encima pondrá la bolsa para dormir y la almohada. De preferencia, no debe compartir la habitación con otra persona.

Apéndice 3. Lecturas adicionales sugeridas

Boyd, Hamish. *Introduction to Homoeopathic Medicine*. Beaconsfield Publishers Limited, 1981.

Blackie, Margery G. *The Patient, Not the Cure*. Macdonald and Jane's, 1976.

Clover, Anne. *Homoeopathy: A Patient's Guide*. Thorsons Publishers Limited, Wellingborough, 1984.

Homoeopathy for the Family, Tercera edición, Homoeopathic Development Foundation Limited, 1983.

Karagulla, Shafica. *Breakthrough to Creativity*. De Vorss & Co., Santa Monica, California, 1974.

MacLeod, George. *Homoeopathy for Pets*. Segunda edición, Homoeopathic Development Foundation Limited, 1983.

Pert, J.C. *The Family Prescriber*. Wigmore Publications Limited, 1984.

Gibson, Sheila L.M., Templeton, Louise y Gibson, Robin G. *Cook Yourself a Favour: 350 Recipes to Help you Help Yourself to Better Health*. Segunda edición, Thorsons Publishers Limited, Wellingborough, 1986.

Jones, Frank Pierce. *Body Awareness in Action*. Schocken Books, Nueva York, 1976.

Alexander, F. Matthias. *The Use of the Self*. Re-educational Publications Limited, 1946.

Milner, Dennis y Smart, Edward. *The Loom of Creation*. Neville Spearman, 1975.

Burr, Harold Saxton. *Blueprint for Immortality: The Electrical Patterns of Life*. Neville Spearman, 1972.

Índice analítico

243

245

248

Esta obra se terminó de imprimir
en junio de 1995 en
Avelar Editores Impresores, S.A.
Bismarck 18
México, D.F.

La edición consta de 3,000 ejemplares